## Le guide complet

# Jeux

## pour bébé
## et tout-petit

# Le guide complet
# Jeux
## pour bébé et tout-petit

Dr Wendy S. Masi

Dr Roni Cohen Leiderman

*Traduction et adaptation : Normand Lebeau*

97-B, Montée des Bouleaux, Saint-Constant Qc, Canada, J5A 1A9
Tél. : (450) 638-3338 / Télécopieur : (450) 638-4338
Site Internet : www.broquet.qc.ca
Courriel : info@broquet.qc.ca

# GYMBOREE JEUX MUSIQUE

Catalogage avant publication de Bibliothèque et Archives Canada

Masi, Wendy S.

Jeux pour bébé et tout-petit : le guide complet

(Gymboree. Jeux & musique)
Traduction de: Gymboree : the parent's guide to play.
Comprend un index.

ISBN 2-89000-734-0

1. Jeux. 2. Nourrissons - Développement. 3. Tout-petits -
Développement. 4. Activités d'éveil. I. Leiderman, Roni.
II. Titre. III. Collection.

HQ782.M3814 2006          649'.55          C2005-942396-X

Pour l'aide à la réalisation de son programme éditorial,
l'éditeur remercie :
Le Gouvernement du Canada par l'entremise du Programme
    d'Aide au Développement de l'industrie de l'Édition
    (PADIÉ) ;
La Société de Développement des Entreprises Culturelles
    (SODEC) ;
L'Association pour l'Exportation du Livre Canadien (AELC);
Le Gouvernement du Québec - Programme de crédit d'impôt
    pour l'édition de livres - Gestion SODEC.

Pour l'édition en langue française :
Copyright © Ottawa 2006
Broquet inc.
Dépôt légal — Bibliothèque nationale du Québec
1ᵉʳ trimestre 2006

ISBN : 2-89000-734-0

Imprimé à Singapour

## NOTE PARTICULIÈRE CONCERNANT LES MESURES DE SÉCURITÉ

*Nous encourageons les parents à devenir des partenaires de jeu actifs avec leurs enfants. Pendant que vous vous livrerez à ces activités enrichissantes avec votre bébé, assurez-vous que la sécurité soit une priorité. Bien que les risques de blessures soient minces dans les activités proposées dans ce livre, nous vous encourageons à prendre toutes les mesures nécessaires pour assurer la sécurité de votre enfant. Veuillez suivre les présentes directives afin de réduire les risques de blessures. Ne laissez jamais votre bébé sans surveillance, ne serait-ce qu'un instant, lorsque vous pratiquerez les exercices décrits dans ce livre, particulièrement ceux qui ont lieu dans l'eau en raison du risque de noyade. Assurez-vous que votre bébé ne met aucun objet (même ceux apparaissant sur les photos) de petite taille dans sa bouche, car certains pourraient présenter un risque de suffocation et s'avérer mortels. Vous devez donc faire en sorte d'utiliser des crayons, des marqueurs et autres accessoires d'écriture non-toxiques et dont l'usage est recommandé pour des enfants de trois ans et moins.*

*Dans tout le livre « Le guide complet jeux pour bébé et tout-petit », nous avons émis des directives quant à l'âge approprié pour chacune des activités proposées, mais nous vous recommandons d'évaluer vous-même avant-coup la pertinence d'une activité particulière pour votre enfant, car l'habileté, l'équilibre et la dextérité diffèrent passablement d'un enfant à un autre.*

*Bien que nous n'ayons négligé aucun effort pour nous assurer que l'information contenue dans ce livre soit exacte et fiable et que les activités proposées soient sécuritaires et fonctionnelles lorsqu'un adulte en assure la supervision adéquate, nous déclinons toute responsabilité quant à tout usage involontaire, imprévu ou inapproprié des recommandations et suggestions mises de l'avant par les auteures de « Le guide complet jeux pour bébé et tout-petit ».*

# TABLE DES MATIÈRES

*suite page suivante* ➤

# TABLE DES MATIÈRES

# TYPES D'ACTIVITÉS

**11**

# TYPES D'ACTIVITÉS

**13**

# AVANT-PROPOS

Dr WENDY S. MASI ET Dr RONI COHEN LEIDERMAN

**L'ARRIVÉE** de votre poupon est une période de célébration et d'émerveillement. Bien que votre enfant vous semble petit et fragile, sachez qu'il est déjà un être d'une prodigieuse complexité et plein de ressources. À la naissance, il peut déjà voir, entendre, sentir et réagir au toucher. En fait, depuis déjà plusieurs mois, il pouvait entendre et reconnaître votre voix, à l'intérieur de l'utérus. Dès le premier instant, il vous regarde avec amour, se tourne pour vous écouter parler ou se blottit contre votre poitrine pour vous laisser savoir à quel point il a besoin de votre amour et de votre attention.

Nous avons consacré les vingt-cinq dernières années à étudier le développement des enfants, à jouer avec des bébés et à discuter avec leurs parents. Nous avons adoré chaque minute de cette expérience. Le fait d'avoir élevé six enfants nous a grandement sensibilisées aux défis, aux grandes joies et à la fierté qu'apporte le statut parental à l'existence. Nous avons appris que la majorité des parents désirent la même chose pour leurs enfants, soit une vie heureuse et bien remplie et qu'il existait plusieurs façons d'atteindre cet objectif.

Nous croyons fermement aux vertus d'une relation parent-enfant enrichissante, positive et ludique. Ces croyances sont confirmées de façon quotidienne par de nouvelles études scientifiques démontrant que le développement du cerveau est fortement influencé par le genre d'expériences que nos enfants vivent dès leur tout jeune âge. Le cerveau de votre nouveau-né n'est développé qu'à environ 25 pour cent, mais une fois que votre enfant aura atteint l'âge de trois ans, le développement de son cerveau sera déjà complété à plus de 90 pour cent.

Vous devez procurer à votre bébé diverses expériences d'apprentissage intéressantes afin de l'aider à atteindre son plein potentiel. Gymboree, le principal fournisseur de programmes de jeux pour parents et enfants, a mis au point sa philosophie de « jeu instructif » pour faire comprendre aux parents que le jeu est le meilleur outil d'apprentissage qui soit pour un enfant.

C'est par l'intermédiaire de jeux pratiques que votre enfant apprendra à parler, à développer des aptitudes pour résoudre un problème et à maîtriser les relations interpersonnelles.

Bien sûr, les parents profitent également de ces jeux. Existe-t-il une sensation comparable à la joie que vous avez ressentie lorsque votre bébé s'est approché de vous et a ri, dansé sur son air préféré, vous a imité ou tapé des mains pour la première fois?

Avec ce livre proposant une multitude d'activités et de chansons permettant d'établir des relations interactives avec votre enfant, Gymboree Play and Music offre une ressource inestimable aux parents. Les échanges que vous aurez avec votre bébé favoriseront son développement physique, émotionnel et cognitif, et par-dessus tout, permettront d'établir entre vous une communication toute empreinte de tendresse et de gaieté.

Vous êtes le premier et le principal éducateur de votre enfant ainsi que son précieux compagnon de jeu. Réjouissez-vous de ses découvertes et célébrez chacun de ses accomplissements. Amusez-vous avec votre poupon et profitez de ces années formidables. Vous pourrez ainsi assurer à votre enfant de prendre un bon départ dans la vie.

Dr. Wendy S. Masi          Dr. Roni Cohen Leiderman

# PLUS QUE DU PLAISIR

**L**ORSQUE VOUS RAMENEZ un nouveau-né à la maison, vous pensez surtout aux aspects pratiques, à la façon de garder votre bébé propre, au chaud et de bien le nourrir, où conserver les couches et les vêtements, au fonctionnement du porte-bébé frontal, du siège d'auto pour bébé, de la poussette et aussi à prendre un peu de sommeil !

Vous devez évidemment vous concentrer sur ces problèmes de logistique, car ils sont essentiels à la survie de ce petit être. Cependant, une fois que vous aurez pris soin des nécessités, il restera un aspect fondamental dont même le plus jeune bébé a besoin pour s'épanouir, soit une interaction ludique et affectueuse avec son entourage.

**L'APPRENTISSAGE**
n'est qu'une partie
de plaisir.

Au cours des dernières années, des douzaines d'études ont démontré que l'estime de soi et la capacité de l'enfant à développer des liens affectifs dépendent grandement de la qualité de ses relations avec ses parents. Celles-ci peuvent être enrichies par l'intermédiaire du jeu et de la proximité. Pour les bébés qui ne vont pas encore à l'école, qui sont trop jeunes pour lire ou pour regarder un documentaire à la télévision, le jeu constitue le principal outil d'apprentissage.

## L'ÉTONNANTE PREMIÈRE ANNÉE

Pendant leur première année d'existence, les bébés vivent un puissant réveil mental, physique et social. Ils apprennent à reconnaître les membres de leur famille, le placard où sont cachés les biscuits et le terrain de jeu où se trouve la grande glissoire incurvée. Ils apprennent à soutenir leur tête, à utiliser leurs mains, à se tourner, à s'asseoir, à se traîner à quatre pattes, à se tenir debout et certains parviennent même à marcher. Cependant, longtemps avant qu'ils ne soient prêts à parler, ils se familiarisent avec toute une gamme de moyens de communication humaine, allant du langage corporel (par exemple, secouer la tête de façon à décourager toute autre ration de nourriture ou ouvrir les bras afin de se faire étreindre) jusqu'à quelques-uns des mots qu'ils entendent de la bouche d'un des parents.

Du même coup, les enfants apprennent à communiquer leurs propres besoins et sentiments au moyen de leur babillage.

Cependant, la principale tâche à accomplir durant la première année d'existence de l'enfant, c'est le développement de

APPRENDRE à se promener à quatre pattes présente de nouvelles possibilités de jeu plus excitantes.

de stimulation que l'enfant aura reçues durant les premières années de sa vie.

Toutes ces discussions concernant la stimulation et le développement mental de l'enfant peuvent sembler arides et donner l'impression que les parents doivent soumettre leurs enfants à des exercices particuliers afin d'atteindre des objectifs précis à certaines étapes de leur développement, liées à l'âge. Toutefois, pour la majorité des bébés, le jeu est une chose naturelle et il en va de même pour la plupart des parents, même s'ils sont susceptibles d'être intimidés ou déconcertés par la soif de vivre d'un nouveau-né ou de leur enfant de onze mois.

## MILLE ET UNE FORMES DE JEUX

Les bébés ne savent pas que les animaux en peluche sont conçus pour être serrés ou que les jeux de cache-cache procurent un plaisir fou. De même, ils ignorent qu'il est difficile de verser de l'eau d'une tasse à une autre ou encore que les moulinets brillent en tournant. Au cours de la première année, les parents doivent également prendre

la confiance, car votre bébé a besoin d'être rassuré sur le fait que ses besoins physiques de nourriture et de chaleur seront comblés, que son environnement est sécuritaire, et plus important encore, que ceux qui s'en occupent vont le dorloter et entretenir ses propres sentiments affectifs en pleine éclosion.

Serrer, embrasser, bercer et sourire à votre bébé sont autant de façons de cultiver sa confiance, tout comme l'initier aux plaisirs de toutes sortes de jeux.

L'interaction avec votre enfant sera essentielle durant toute sa vie, mais s'avère particulièrement importante et enrichissante au cours de sa première année d'existence. Les chercheurs estiment que 50 pour cent du développement du cerveau humain se produit durant les six premiers mois de l'existence et un autre 20 pour cent avant la fin de la première année. Bien qu'une partie importante de ce développement soit liée à l'héritage génétique, une bonne partie de l'existence intellectuelle, émotionnelle et physique éventuelle de l'enfant dépendra de la quantité et des formes

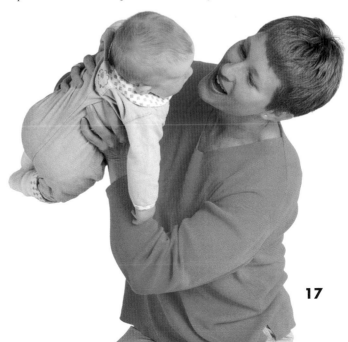

conscience de l'individualité de leur enfant. Le jeu, même lorsqu'il est de nature «stimulante», n'a rien à voir avec des expériences comme celles de forcer l'enfant à manger, mais sert plutôt à comprendre le caractère de votre enfant, ce qu'il aime et ce qui lui déplaît, ainsi que sa tolérance et sa capacité de s'adapter à différentes formes de stimulation. Les bébés ont des cycles d'activité et de repos bien distincts. Les périodes où l'enfant est alerte et réceptif constituent le meilleur moment pour le jeu, par exemple, frapper sur des jouets, faire rouler des balles, entamer des chansons ou grimper. Les jeux plus passifs comme l'observation des ombres des arbres, écouter des chansons ou s'installer bien au chaud dans le lit avec un livre sont préférables lorsque le petit est un peu moins éveillé. Ces deux types de jeu sont importants et ce qui compte d'abord et avant tout, c'est de pratiquer la bonne activité au bon moment.

La spontanéité peut rendre le jeu encore plus amusant et valorisant et vous trouverez des occasions à tout moment. Intégrez un jeu de cache-cache pendant les changements de

**UNE BONNE SÉANCE DE JEUX** procure une profusion de sourires, de rires et d'heureux souvenirs.

**UN DOUX BAISER** termine bien une petite balade sur un genou.

couches et vous réduirez les tortillements et les protestations. Installez confortablement bébé en indien sur vos épaules pendant que vous passez la vadrouille et les tâches domestiques deviendront une danse apaisante. Jouez à «Je vais t'attraper» lorsque vous quittez la maison ensemble et vous sortirez plus rapidement et probablement de meilleure humeur. Chantez dans l'auto et votre bébé cessera de rouspéter pour se mettre à rire.

Dans cette optique, le jeu devient moins une tentative d'accomplissement qu'une façon d'établir des relations. Lorsque vous jouez avec votre bébé, vous vous engagez dans des activités intimes qui l'aident à maîtriser certaines habiletés tout en créant un lien affectif, durable et joyeux.

*Les activités proposées dans ce livre sont regroupées de façon chronologique en périodes de six mois correspondant aux étapes importantes du développement de l'enfant. Les catégories d'âges ne servent que d'indicateurs, car il existe d'importantes différences quant au niveau de développement d'un enfant à l'autre.*

## L'ÉVOLUTION À PARTIR DE LA NAISSANCE

À PREMIÈRE VUE votre nouveau-né semble posséder peu de capacités. Le petit être humain que vous tenez dans vos bras, par l'intermédiaire de ses sens, est en train de recueillir des trésors d'information sur le monde qui l'entoure. Au cours des premiers mois, il augmentera régulièrement son habileté à contrôler ses muscles. Durant le deuxième mois, il arrive parfois que ses poings fermés commencent à s'ouvrir et si vous placez un hochet ou un autre jouet dans sa paume, il refermera ses doigts autour de l'objet. Le jeu a une fonction beaucoup plus exploratoire que ludique, car il part à la découverte de ses sens. Présenter à votre bébé des objets qu'il pourra observer, écouter et toucher.

## À PARTIR DE 3 MOIS

Les trois mois suivants de l'existence de votre bébé introduisent l'éveil du sentiment d'exercer un contrôle sur son petit univers, aussi modeste soit-il. Votre poupon n'est plus un nouveau-né passif, mais est plus fort et plus actif et désormais capable d'utiliser ses mains pour atteindre et tirer vers lui des objets, puis les tourner, les laisser tomber, les agiter ou les mettre dans sa bouche par curiosité. Ces activités ne constituent pas uniquement une source de divertissement pour votre bébé, mais également des expériences d'apprentissage par lesquelles il développera toutes sortes d'habiletés en plus de sa propre identité.

## 6 MOIS ET PLUS

Un bébé est une charmante créature sociable qui rit, va au devant d'autrui et sourit pour attirer l'attention ou provoquer une réaction. Dans la plupart des cas, le bébé bouge également beaucoup et se traîne, glisse, culbute, trottine ou se redresse pour aller chercher ce qu'il veut. l'enfant commence vraiment à savoir ce qu'il veut et à tenter de s'en emparer, qu'il s'agisse de bretzels sur une table, d'un livre sur une étagère ou d'une pile de bols en plastique rangée dans un placard difficilement accessible. Votre bébé commence à prendre conscience de la permanence des objets, c'est-à-dire, la notion qu'un objet existe même s'il n'est pas immédiatement visible. Ces développements conceptuels font en sorte qu'il devient possible de se livrer à des jeux de cache-cache.

## 9 MOIS ET PLUS

À cette âge ces enfants qui ne marchent pas encore commencent déjà à ressembler et à agir comme des tout-petits. Les jeux permettant de mettre en pratique les mouvements globaux, comme se promener à quatre pattes, se redresser pour se tenir debout, marcher à petits pas chancelants ou grimper lui semblent particulièrement intéressants, car la mobilité représente son objectif principal. Une bonne motricité est également très importante pour lui. Ainsi, il insistera pour tourner les pages d'un livre ou faire une pile avec ses propres livres. Pour bon nombre de bébés, il s'agit du commencement de l'étape « je vais le faire moi-même ».

DE LA NAISSANCE 0 ET PLUS

• JOUER DANS LE BAIN • JEUX PENDANT LE CHANGEMENT DE LA COUCHE • MUSIQUE ET MOUVEMENT • ACTIVITÉS PHYSIQUES • PLAISIR TACTILE •

# MOUVEMENTS DE VA-ET-VIENT

## PROMENADES SUR LES GENOUX ET BERCEUSES

### HABILETÉS

**La stimulation sensorielle** *que procure cette activité, le son de votre voix, la sensation de vos mains et la vue de votre visage sont autant de facteurs rassurants pour votre bébé. Cette activité peut même l'endormir et lorsque l'enfant approchera l'âge de trois mois, vos sourires et vos paroles pourraient faire en sorte qu'il réagisse en gazouillant et en affichant un large sourire en retour.*

| | |
|---|---|
| **Conscience du corps** | ✔ |
| **Écoute** | ✔ |
| **Développement visuel** | ✔ |

**L AIMERA ENTENDRE** votre voix, sentir votre toucher et se faire bercer d'un côté à l'autre, de façon rythmée. Il est possible de combiner ces trois éléments réconfortants en utilisant vos genoux comme berceau et votre voix pour la berceuse. Asseyez-vous dans une chaise en tenant le bébé sur vos cuisses, ses pieds en direction de votre estomac. Bercez sa tête avec vos mains et balancez légèrement votre corps d'un côté à l'autre pendant que vous lui parlez ou que vous chantez.

**FIXEZ L'ENFANT DANS LES YEUX** pendant que vous le bercez de gauche à droite ; c'est ce qui permet de développer les liens les plus étroits.

# JOUER AVEC DES POMPONS

## UN JEU TACTILE ET VISUEL

**L**ES BÉBÉS NE VIENNENT PAS au monde avec la capacité de localiser visuellement un objet et n'ont pas conscience de la façon dont les objets se déplacent dans l'espace, car ce sont des habiletés qui sont longues à développer. Ce jeu tout en douceur attirera l'attention de votre bébé, stimulera ses sens et le fera éventuellement sourire.

• Rassemblez quelques pompons de grande taille et aux couleurs vives ou de petits animaux en peluche. Attirez l'attention de l'enfant en tenant le jouet à une distance de 77 à 97 cm (12 à 15") au-dessus de son visage et déplacez lentement le jouet d'un côté à l'autre en prenant soin de respecter sa capacité de suivre l'objet des yeux.

• Essayez de soulever lentement l'objet en le faisant bouger de haut en bas afin qu'il le voie se déplacer d'une distance rapprochée à une distance éloignée. Assurez-vous de ne pas laisser le bébé sans surveillance lorsqu'il y a de petits objets à sa portée.

### HABILETÉS

**L'observation d'un objet aux couleurs vives** *se déplaçant d'un côté à l'autre et de bas en haut favorise le renforcement des muscles oculaires de votre bébé. Ainsi, il pourra localiser des objets et concentrer son attention à différentes distances, une faculté qui nécessite une «convergence visuelle», ce qui veut dire que les deux yeux travaillent simultanément. Le fait de sentir les pompons toucher délicatement sa poitrine, son visage et ses membres lui permet de découvrir de nouvelles textures.*

✔ **Stimulation tactile**

✔ **Développement visuel**

✔ **Localisation visuelle**

**UN PETIT POMPON
DE COULEUR JAUNE**
est fascinant pour un bébé, spécialement lorsqu'il effleure sa peau.

**21**

# MASSAGE POUR BÉBÉ

## LA DÉTENTE PAR LE TOUCHER

### HABILETÉS

**Le toucher est profondément rassurant** *pour les bébés, particulièrement lorsqu'il est exercé calmement et en douceur. Un massage doux stimule la circulation de votre bébé, sa notion du toucher et lui fait prendre conscience de son corps. Regarder et parler à votre bébé permettra de solidifier votre lien affectif fondamental.*

Depuis des milliers d'années, **TOUTES LES CUTURES** du monde ont pratiqué différentes formes de massage sur les enfants en bas âge. Il existe des cours et des livres sur ce sujet, mais vous pouvez aussi pratiquer des formes de massage très simples à la maison avec votre bébé. Choisissez une chambre suffisamment chaude ou un coin ensoleillé et installez l'enfant sur un lit ou un tapis. Retirez tous ses vêtements à l'exception de sa couche ou massez-le nu sur une serviette ou un autre morceau de tissu épais. Si vous le désirez, vous pouvez utiliser une huile végétale à l'amande ou à l'abricot, mais assurez-vous d'éviter d'utiliser de l'huile pour bébé ou d'autres produits à base de pétrole.

• Au moyen d'un mouvement semblable à la traite d'une vache, exercez une légère pression sur chaque bras et chaque jambe de l'enfant. Déplacez vos mains à partir du centre de sa poitrine jusqu'à ses côtés ou effleurez sa peau du bout des doigts tout en lui parlant ou en chantant.

• Placez vos doigts sur ses tempes et tracez doucement de très petits cercles, puis placez le bout de vos doigts au centre de son front et faites-les glisser lentement le long de ses cils. Essayez de bouger vos pouces le long de l'arête de son nez jusqu'autour de ses narines, puis vers les coins (commissures) de sa bouche.

| | |
|---|---|
| **Conscience de son corps** | ✔ |
| **Développement affectif** | ✔ |
| **Développement social** | ✔ |
| **Stimulation tactile** | ✔ |

VOTRE ENFANT AIME SENTIR, votre toucher, regarder vos yeux et entendre votre voix.

**22**

## RAPPORT DE RECHERCHE

**« Le toucher »,** *écrit Theresa Caplain dans son ouvrage classique « Les douze premiers mois de l'existence » est « presque un langage pour les bébés ». De nombreuses études ont effectivement démontré que le fait de toucher à votre bébé, de le tenir, de l'embrasser et de le caresser contribue à approfondir l'attachement entre vous et l'enfant. Le toucher a également des vertus physiologiques. Les résultats des recherches indiquent que les bébés qui sont touchés ont des fonctions immunitaires supérieures, un meilleur développement musculaire et que leur organisme produit une plus grande quantité d'hormones de croissance.*

**Les visages de leurs parents et les sons** *qu'ils émettent ne constituent pas uniquement une source de divertissement pour les bébés, mais leur permettent également de se sentir plus en sécurité. Une étude menée par l'Université du Delaware révèle que les enfants dont les mères avaient des expressions faciales plus animées étaient plus attachées à leur mère que les autres. Plusieurs études démontrent également que les enfants de mères dépressives ou plus introverties sont moins affectueux et moins expressifs.*

LE REGARD, lorsqu'il est bienveillant et réceptif est un facteur important dans l'établissement d'un lien affectif.

DE LA NAISSANCE
0
ET PLUS

# EXPRESSIONS FACIALES

## REGARDER, APPRENDRE, AIMER

**L**es activités que vous pratiquerez avec votre bébé **NE DOIVENT PAS TOUTES** être vigoureuses ou même actives, car il est également important de prévoir des périodes de tranquillité. Les bébés, et plus particulièrement les nouveau-nés, sont facilement trop stimulés. L'intimité entre le parent et l'enfant dépend autant du toucher et du contact visuel que des rires, des chatouillements et des jouets. Autrement dit, le temps consacré à regarder simplement votre bébé dans les yeux est profitable, car il vous permet de vous détendre et d'établir un lien affectif.

• Choisissez un moment où votre enfant est alerte et réceptif et bercez-le dans vos bras, installez-le sur vos genoux ou allongez-le sur une table à langer ou au sol sur une couverture douce.

• Lorsqu'il vous regarde, fixez-le dans les yeux et parlez ou fredonnez son nom d'une voix douce. Initiez-le à certaines expressions faciales en souriant, en ouvrant la bouche au maximum, en relevant les sourcils, en tirant la langue, puis contentez-vous ensuite de le regarder et de prononcer doucement son nom.

• Votre bébé pourrait vous surprendre en imitant vos expressions. Même le plus petit bébé essaie parfois de reproduire les expressions faciales de la personne qui prend soin de lui. Cependant, s'il devient impatient ou détourne le regard à plusieurs reprises, cessez cette activité, car les bébés ont besoin de recul pour assimiler toutes les expériences qu'ils ont accumulées.

SI VOTRE BÉBÉ AIME CETTE ACTIVITÉ, essayez aussi *Qui est-ce ?*, en page 30.

### HABILETÉS

**Vous avez peut-être remarqué** *que votre bébé a commencé à scruter votre visage et à déplacer son regard de votre chevelure jusqu'à votre menton et ce, dès sa naissance.*

*C'est la preuve que les visages sont très importants pour les jeunes bébés. L'observation de votre visage et de ses expressions lui permet de développer un attachement profond envers vous et d'acquérir des notions quant aux manifestations affectives.*

✓ **Développement affectif**

✓ **Écoute**

✓ **Développement social**

✓ **Développement visuel**

**25**

# LES BERCEUSES

**IL EST DIFFICILE D'EXPLIQUER** pourquoi des mélodies simples permettent d'apaiser des enfants, mais bon nombre de générations de parents ont chanté des berceuses à leurs petits et autant de générations d'enfants ont été bercées. Plusieurs de ces berceuses semblent supplier les bébés de tomber endormis, mais toute chanson calme, chantée avec douceur est de nature à favoriser le sommeil d'un bébé, sinon le détendre s'il est trop stimulé.

## BERCEUSE

 **La berceuse de Brahms**

**Bonne nuit,
Cher trésor,
Ferme tes yeux et dors.
Laisse ta tête, s'envoler,
Au creux de ton oreiller.**

**Un beau rêve passera,
Et tu l'attraperas.
Un beau rêve passera,
Et tu le retiendras.**

PEU IMPORTE qu'elle soit chantée par un membre plus âgé de la famille ou un parent, une chanson douce est une méthode éprouvée pour calmer les enfants.

## C'EST LA POULETTE GRISE

C'est la poulette grise
Qui a pondue dans l'église
Elle a pondu un p'tit coco
Pour le bel enfant
Qui va faire dodo
Dodiche dodo

C'est la poulette blanche
Qui a pondue dans la grange
Elle a pondu un p'tit coco
Pour le bel enfant
Qui va faire dodo
Dodiche dodo

C'est la poulette noire
Qui a pondue dans l'armoire
Elle a pondu un p'tit coco
Pour le bel enfant
Qui va faire dodo
Dodiche dodo

## FERME TES JOLIS YEUX

Ferme tes jolis yeux
Car les heures sont brèves
Au pays merveilleux
Au beau pays du rêve
Ferme tes jolis yeux
Car tout n'est que mensonge
Le bonheur n'est qu'un songe
Ferme tes jolis yeux.

CHANTER UNE CHANSON
pour endormir votre bébé apaise
et l'enfant et le parent.

27

# LE JEU DU MOUCHOIR

## UN JEU DE LOCALISATION D'OBJET

### HABILETÉS

**Observer un mouchoir** *ou un morceau de tissu qui avance et qui recule peut aider à développer les facultés d'un bébé de cet âge à localiser visuellement et à se concentrer sur des objets. Cependant, au bout de trois mois, l'enfant ne pourra résister à la tentation d'essayer d'attraper le mouchoir. Lorsqu'il aura atteint l'âge de six mois, il essaiera de se mettre l'objet dans la bouche dès qu'il sera parvenu à le saisir avec ses petites mains.*

**L**'UN DES SECRETS LES MIEUX GARDÉS en ce qui concerne le jeu avec les jeunes bébés, c'est qu'il n'est pas nécessaire d'utiliser des jouets sophistiqués munis de clochettes et de gadgets électroniques. En fait, il arrive qu'un mouchoir ou une écharpe aux couleurs vives fasse parfaitement l'affaire. Installez votre bébé sur le dos au sol ou sur la table à langer. Tenez une écharpe, un mouchoir ou un tissu léger à une distance d'environ 77 cm (12") au-dessus de sa tête, puis approchez l'objet de l'enfant et éloignez-le en le soulevant et rabaissez-le de nouveau. Chantez ou appelez son nom d'une voix douce tout en agitant le mouchoir.

**Écoute** ✔
**Stimulation visuelle** ✔

**UNE ÉCHARPE AUX COULEURS VIVES** ou un morceau de tissu agité devant l'enfant produit un effet de brise amusant et votre bébé suivra l'objet des yeux avec fascination.

# LES PLEURS ET LES COLIQUES

**L**ES PLEURS de votre bébé finiront par vous sembler aussi familiers que la forme de ses orteils, ce qui ne facilitera pas votre relation avec lui. Certains jours, vous n'éprouverez pour lui que de la sympathie, mais à d'autres moments, votre patience sera mise à rude épreuve.

Les bébés pleurent en réaction à des expériences désagréables comme la faim, la solitude, la fatigue, la douleur ou lorsqu'ils ont trop chaud ou trop froid. Certains chercheurs croient également que les bébés de trois à six semaines pleurent en début de soirée afin de se défouler, suite à une journée longue et épuisante.

Un enfant sujet à des coliques aura tendance à pleurer plus souvent et plus régulièrement qu'un autre ; les chercheurs ne savent pas ce qui cause les coliques. Les bébés sujets aux coliques peuvent avoir des systèmes digestifs immatures ou de la difficulté à composer avec les stimulations du monde extérieur. Peu importe la cause, même les parents les plus attentionnés peuvent se sentir dépassés, anxieux ou même éprouver de la colère face aux pleurs incessants et stridents d'un bébé souffrant de coliques.

Bien que des gens puissent vous dire de laisser l'enfant «pleurer tout son soûl», la plupart des pédiatres actuels sont en désaccord avec cette façon de faire.

Lorsque vous réconfortez votre bébé ou du moins que vous tentez de le faire, ceci lui indique qu'il peut compter sur vous et sa détresse finira par s'estomper.

Voici quelques suggestions pour calmer votre bébé : si un rot, un changement de couche ou nourrir l'enfant n'améliore pas la situation, essayez le mouvement (comme promener le bébé dans une poussette ou dans un porte-bébé frontal, le bercer ou danser). L'air frais peut calmer un bébé et faire cesser ses pleurs. De plus, les bébés aiment souvent être emmaillotés.

Voici maintenant ce que vous pouvez faire pour vous-même. Essayez de rattraper le sommeil perdu, car la fatigue rend les parents plus vulnérables à la dépression et aux sautes d'humeur, ce qui donne moins envie de répondre avec empressement aux demandes de votre bébé. Demandez à une personne fiable de votre entourage de surveiller le bébé pendant que vous prenez une douche ou une marche. N'ayez pas le sentiment d'abandonner votre enfant, mais pensez plutôt à refaire le plein énergie.

« Qui est ce petit bébé ? »

30

# QUI EST-CE ?

## AUTO-RÉFLECTION

**L**ES NOUVEAU-NÉS SONT PLUS attirés par de véritables visages humains que tout autre objet visuel, y compris les hochets, les formes géographiques ou même des dessins de visages humains. Au cours de ses premières semaines d'existence, un bébé fixera des visages même s'il ne sait pas qu'ils appartiennent, comme lui, au genre humain. Il sera donc fasciné par sa propre réflexion dans un miroir à main, même s'il n'a aucune idée de qui il s'agit. Pointez du doigt le bébé dans le miroir et dites son nom. Au fur et à mesure des semaines, la réflexion de l'enfant lui fera poser son premier geste de sociabilité, soit une grimace espiègle.

**UN MIROIR PROCURE** une expérience amusante à toute la famille.

### HABILETÉS

**Un bébé n'est pas en mesure** *de se reconnaître dans un miroir jusqu'à l'âge d'environ quinze mois. Toutefois, même durant les premiers mois, se regarder dans le miroir lui apprendra à se concentrer visuellement et à localiser des objets ainsi qu'à explorer le côté social des visages. Il finira par être capable de s'identifier lui-même comme étant un bébé et un individu unique.*

| ✔ | **Développement affectif** |
| ✔ | **Développement social** |
| ✔ | **Développement visuel** |

SI VOTE BÉBÉ AIME CETTE ACTIVITÉ, essayez *Expressions faciales*, en page 24.

**31**

DE LA NAISSANCE
0
ET PLUS

• JOUER DANS LE BAIN • JEUX PENDANT LE CHANGEMENT DE LA COUCHE • MUSIQUE ET MOUVEMENT • ACTIVITÉS PHYSIQUES • PLAISIR TACTILE •

# BÉBÉ PLANEUR

## LE PLAISIR DE VOLER ET DE REGARDER DE HAUT

### HABILETÉS

**Les parents de tous les coins du monde** *passent de longues heures à réconforter les bébés souffrant de coliques en les balançant doucement de l'avant à l'arrière dans une position «d'avion». La pression régulière exercée sur le ventre du bébé lui procure une chaleur bienfaisante et une stimulation tactile. Au cours des semaines suivantes, l'enfant se pratiquera à soulever sa tête, son cou et ses épaules afin de regarder autour de lui et d'agrandir son champ de vision.*

| | |
|---|---|
| **Stimulation tactile** | ✔ |
| **Confiance** | ✔ |
| **Force du haut du corps** | ✔ |

**V**OUS AVEZ PEUT-ÊTRE DÉJÀ constaté que le fait de tenir votre bébé comme s'il était un «avion» ou un «ballon de football» lorsqu'il a des gaz, qu'il est surexcité ou simplement fatigué, avait sur lui un effet apaisant. Un mouvement de balancement ou de bercement combiné à une chanson rythmée et à une prise autour de la taille a parfois un effet encore plus calmant. Soutenez votre bébé, le ventre vers le bas, en le tenant sous sa poitrine et son ventre avec un ou deux bras (assurez-vous de toujours tenir sa tête), puis bercez-le doucement en lui chantant une chanson rythmée.

**AVEC UN PEU DE VENT** sur sa chevelure ténue et le bras de sa maman qui le soutient, bébé sera gai comme un pinson.

**32**

# CHATOUILLES ET TEXTURES

DE LA NAISSANCE
0
ET PLUS

## EXPÉRIENCES TACTILES

**L**ES NOUVEAU-NÉS n'aiment pas toujours être nus, car ils ont la peau sensible et trouvent l'air froid. Les bébés un peu plus âgés protestent souvent pendant le changement de couche parce qu'ils n'aiment pas être restreints dans leurs mouvements. Vous pouvez transformer l'heure du changement de couche en jeu et en activité d'apprentissage par l'intermédiaire d'expériences tactiles.

• Rassemblez plusieurs objets comportant des textures différentes, par exemple un échantillon de velours, des plumes ou une éponge propre humectée avec de l'eau tiède.

• Frottez doucement un objet sur la peau de votre bébé et observez sa réaction. Essayez un objet différent afin de voir lequel il préfère.

• Cette activité divertira votre enfant durant plusieurs mois. Quand il aura dépassé l'âge de neuf mois, il pourrait aller chercher les objets et vous les présenter pour que vous le chatouilliez.

### Habiletés

**La peau de votre bébé** *est plus sensible au toucher qu'à tout autre moment de l'existence, car le toucher constitue l'un des premiers moyens d'exploration d'un bébé. Cette activité l'initie à une large gamme de textures et vous permet aussi de vous familiariser avec son langage corporel et d'y répondre. Réagir à son langage corporel l'aidera à développer un sentiment de sécurité, car l'enfant s'apercevra que ses besoins sont comblés.*

✔ **Conscience du corps**

✔ **Développement social**

✔ **Stimulation tactile**

**LA TEXTURE D'UNE PLUME** le fera se tortiller de plaisir.

SI VOTRE BÉBÉ AIME CETTE ACTIVITÉ, essayez aussi *Massage pour bébé*, en page 22.

# CHANTER ET TOUCHER

**V**OTRE BÉBÉ ne réagira pas à un chatouillement par un rire avant d'atteindre l'âge de trois mois. Les jeux tactiles l'intrigueront quand même et l'aideront à prendre conscience de son propre corps. Il est également conseillé d'ajouter des chansons pour enfants à l'exercice, car un bébé possède une fascination innée pour la voix humaine.

VOTRE TOUCHER et le son de votre voix suffiront à l'amuser.

**IL COURT, IL COURT, LE FURET.**

**Il court, il court, le furet,**
**Le furet du bois, Mesdames,**
**Il court, il court, le furet,**
**Le furet du bois joli.**
*Faites courir vos doigts lentement de l'avant à l'arrière sur le corps du bébé.*

**Il a passé par ici**
**Le furet du bois, Mesdames,**
**Il a passé par ici**
**Le furet du bois joli !**
*Faites courir vos doigts lentement de l'avant à l'arrière sur le corps du bébé.*

## TÊTE, ÉPAULES

**Tête, épaules, genoux, orteils,**
**Genoux, orteils**
**Genoux, orteils**
*Toucher les parties du corps nommées*
**Tête épaules genoux orteils,**
**Yeux nez bouche oreilles**
*Toucher les parties du corps nommées*

## AINSI FONT, FONT, FONT

**Ainsi font, font, font**
**Les petites marionnettes**
**Ainsi font, font, font**
**Trois p'tits tours et puis s'en vont**
*Lever les mains et ouvrir et fermer les*
*poings trois fois*
**Les mains aux côtés**
*Mettre les mains sur les côtés*
**Sautez, sautez, marionnettes**
*Soulever légèrement l'enfant*
**Les mains aux côtés**
*Mettre les mains sur les côtés*
**Marionnettes, recommencez.**

ENTENDRE UNE CHANSON
SIMPLE dans les bras de papa
est toujours une fête.

## SAVEZ-VOUS PLANTER LES CHOUX

 **« Savez-vous planter des choux »**

**Savez-vous planter les choux,**
**À la mode, à la mode,**
**Savez-vous planter les choux,**
**À la mode de chez nous ?**
**On les plante avec le doigt**
*Faire un geste avec le doigt*
**À la mode, à la mode,**
**On les plante avec le doigt**
*Faire un geste avec le doigt*
**À la mode de chez nous.**
**On les plante avec le pied**
*Faire un geste avec le pied*
**À la mode, à la mode**
**On les plante avec le pied**
*Faire un geste avec le pied*
*Continuer*
**On les plante**
**avec le genou.**
**On les plante**
**avec le coude.**
**On les plante**
**avec le nez.**
**On les plante**
**avec la tête.**

# SAVOIR S'ORGANISER

**U**NE FOIS QUE VOTRE BÉBÉ sera à la maison, celle-ci sera habitée par la présence d'un nouvel être précieux, mais se remplira aussi de toute une panoplie d'objets pour bébés et non seulement d'un berceau, d'une poussette et d'une table à langer, dont vous aurez prévu l'achat avant la date de naissance de l'enfant. Votre maison sera pleine de minuscules vêtements, de couches, de bouteilles, de produits médicinaux et de jouets. Le fait que la maison soit bien ordonnée ne constitue pas une priorité pour la plupart des nouveaux parents. Toutefois, il leur faut s'adapter au changement de situation et à une réorganisation des tâches domestiques. N'oubliez pas que vous ne serez plus en mesure d'en faire autant qu'avant l'arrivée du bébé. Soyez flexible et dressez des listes de tâches, mais ne vous culpabilisez pas trop si vous ne les accomplissez pas toutes.

Vous devrez conserver des couches de coton, des couches jetables, de l'onguent pour les éruptions cutanées et des vêtements de rechange à portée de la main, près de la table à langer, afin de ne pas laisser le bébé sans surveillance. Les débarbouillettes, savons et serviettes devront se trouver à proximité au moment du bain.

Les bas avec les bas : vous pouvez utiliser des paniers ou des boîtes de plastique pour trier les jouets. Il est également utile de ranger les vêtements par ordre de grandeur et par saison et de mettre de côté tous les vêtements qui sont trop grands et susceptibles de servir plus tard. Un bon système de rangement vous facilitera la tâche et celle de toute autre personne chargée de garder l'enfant, car vous trouverez rapidement les vêtements appropriés.

Par une journée pluvieuse ou en cas d'imprévu : vous n'avez pas besoin de laisser sortis chacun des jouets, livres et articles vestimentaires que vous avez reçus. Les jouets destinés à un enfant de dix-huit mois peuvent être rangés ; vous serez content d'avoir de nouveaux jouets à offrir à votre bébé en temps opportun. Les vêtements de plus grande taille peuvent être rangés dans un placard.

Mettez de l'ordre : vous ne pourrez effectuer toutes les tâches domestiques en une fois, mais vous y arriverez en accomplissant une partie chaque jour. Que le moment le plus propice s'avère en soirée quand le bébé dort (temporairement) ou pendant sa sieste de l'après-midi, une maison proprette peut s'avérer réconfortante pour un parent.

# RUBANS ONDULÉS

## VISIONS CHARMANTES

**B**IEN AVANT QUE VOTRE BÉBÉ n'ait une envie folle de déchirer des emballages de papier, les rubans aigui-seront sa curiosité et capteront son attention. Utilisez du ruban masque et reliez des morceaux de rubans de six pouces (40 cm) de couleurs vives à un morceau de carton ou fixez-les solidement à une cuillère en bois. Allongez votre bébé sur le sol, la table à langer ou un siège d'auto pour bébé et agitez doucement les rubans autour de son visage et de ses mains. Lorsqu'il se mettra à donner des coups de pied et à agiter les bras, vous saurez qu'il est amusé par les couleurs, les textures et le mouvement.

### HABILETÉS

**À cet âge,** *l'observation des rubans qui dansent de haut en bas et d'un côté à l'autre, aident votre bébé à développer ses aptitudes de locali-sation visuelle. Lorsqu'il sera plus âgé et commencera à vouloir s'em-parer des objets, cette activité lui permettra d'exercer sa coordination œil-main et ses réflexes d'agrippe-ment. Cela lui permettra aussi de voir la relation de cause (je frappe le ruban) à effet (le ruban se balance et rebondit.).*

✔ **Coordination œil-main**

✔ **Stimulation tactile**

✔ **Développement visuel**

**IL EST ENCORE TROP JEUNE** pour essayer de saisir des objets, mais il aime le mouvement.

**37**

# REPÈRES SONORES

## D'OÙ VIENT LA VOIX DE MAMAN ?

### HABILETÉS

**L'écoute et la tentative** *de localisation de votre voix aident votre bébé à développer ses aptitudes de localisation visuelle et auditive. Il est également important de lui faire comprendre que sa famille lui procure des sourires, des rires et des compliments. Une fois qu'il aura atteint l'âge de six mois, il sourira et rira lui aussi, et à partir de l'âge d'un an il tentera d'attirer votre attention en faisant des bruits amusants.*

**LES BÉBÉS NAISSENT** avec une fascination innée pour la voix humaine, mais n'ont pas la faculté de localiser immédiatement l'origine d'un bruit dans une pièce. Pour aider votre enfant à affiner ses sens, essayez l'exercice suivant : placez l'enfant dans un siège d'auto pour enfant ou une chaise haute au milieu d'une pièce. Avancez et reculez devant lui pendant que vous chantez, que vous faites des bruits amusants ou que vous lui parlez. Essayez de marcher de l'autre côté de la pièce, puis revenez sur vos pas pour lui permettre de suivre le son de votre voix. Même s'il ne tourne pas la tête dans votre direction lorsqu'il entend votre voix, il percevra la différence lorsque vous avancerez et reculerez.

| Écoute | ✔ |
| Développement social | ✔ |
| Développement visuel | ✔ |

SI VOTRE BÉBÉ AIME CETTE ACTIVITÉ, essayez aussi *Qu'est-ce que ce petit cri aigu ?* en page 44.

**La majorité des parents** *éprouvent un certain plaisir à affirmer que la personnalité de leur enfant – calme, turbulente, douce ou agressive - était prévisible de par son activité intra-utérine. Toutefois, ces liens entre le comportement prénatal et la personnalité postnatale sont-ils fondés? En fait, des chercheurs de l'Université Johns Hopkins ont découvert que plusieurs facteurs, incluant le rythme cardiaque et le mouvement à l'intérieur de l'utérus, peuvent réellement aider à prédire le comportement d'un enfant durant ses premiers mois d'existence. Les conclusions de cette étude démontrent que les fœtus plus actifs deviennent généralement des enfants plus animés et imprévisibles.*

DÉCOUVRIR D'OÙ VIENT LA VOIX DE MAMAN se transformera éventuellement en des jeux amusants comme la cachette.

• JOUER DANS LE BAIN • JEUX PENDANT LE CHANGEMENT DE LA COUCHE • MUSIQUE ET MOUVEMENT • ACTIVITÉS PHYSIQUES • PLAISIR TACTILE •

# REPÈRES VISUELS

## LOCALISATION D'UN JOUET

### HABILETÉS

**Qu'est-ce que ce son?** *Quel est ce mouvement? Votre bébé bouge la tête d'un côté à l'autre et apprend à localiser la provenance des bruits et à suivre des yeux les déplacements d'un objet. À l'âge d'environ 3 mois, il tentera d'agripper le jouet et à environ quatre mois, il parviendra à le saisir.*

**D**ÈS LEUR NAISSANCE, les bébés démontrent de l'intérêt pour les sons et les images. Déplacez lentement, de l'avant à l'arrière, un jouet de couleur vive et produisant un son aigu, devant votre bébé. Lorsqu'il fixe le jouet, déplacez-le vers la gauche, puis la droite. Essayez toutefois de ne pas aller trop vite, ni trop loin. S'il perd le jouet de vue, il s'imaginera tout simplement qu'il n'existe pas et perdra tout intérêt pour ce jeu.

L'ENFANT EST ENCORE TROP JEUNE pour atteindre ou s'emparer d'un objet, mais démontre beaucoup d'intérêt pour le son et le mouvement.

| Écoute | ✔ |
| Localisation visuelle | ✔ |

◄ SI VOTRE BEBE AIME CETTE ACTIVITE, essayez aussi *Rubans ondulés* en page 37.

**40**

# BERCER LE BÉBÉ

## ÉQUILIBRE SUR UN TRAVERSIN

**L**ORSQUE NOUS FAISONS ALLUSION au bercement, nous pensons habituellement à un bébé qui est couché sur le dos dans son berceau ou dans nos bras dans une chaise berçante. Se faire bercer doucement d'un côté à l'autre sur le ventre est un mouvement très apaisant pour un bébé. Roulez une couverture ou deux ensemble et allongez votre bébé sur le ventre sur les couvertures, de façon à ce que sa poitrine, son ventre et ses cuisses soient soutenues. Tournez sa tête d'un côté, puis balancez-le très doucement d'un côté à l'autre en chantant une chanson comme « Berce le bébé ». Le mouvement de bercement aide l'enfant à développer son sens de l'équilibre et lui permet, alors qu'il est sur son ventre, de soulever sa tête à partir de la position couchée sur l'adomen.

**LA PRESSION** exercée sur son ventre peut s'avérer apaisante ; le mouvement de bercement l'aide à acquérir un sens élémentaire de l'équilibre.

**Berce le bébé**

 **« Pomme de reinette »**

**Berce le bébé
De gauche à droite
Et de droite à gauche
Berce le bébé
De gauche à droite
Berce-le comme ça.**

**Berce le bébé
De gauche à droite
Berce-le comme ça.**

| ✔ | **Équilibre** |
| ✔ | **Relation spatiale** |
| ✔ | **Force du haut du corps** |

SI VOTRE BÉBÉ AIME CETTE ACTIVITÉ, essayez aussi *En équilibre sur un ballon de plage*, en page 42.

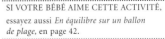

**41**

# EN ÉQUILIBRE SUR UN BALLON DE PLAGE

## UN JEU TRÈS STIMULANT

### HABILETÉS

**Rouler de l'avant à l'arrière** *et d'un côté à l'autre stimule le sens d'équilibre du bébé. Au bout d'un mois, la plupart des bébés tenteront également de soulever la tête afin de voir ce qui se passe autour d'eux. Ce mouvement aide à renforcer le haut du corps. De plus, une pression légère sur le ventre aide les bébés aux prises avec des gaz ou des coliques.*

**L**ES JEUNES BÉBÉS aiment rarement rester longtemps sur le ventre, mais certains d'entre eux trouvent agréable de s'étendre sur un objet de grande taille, doux et arrondi pendant un certain temps. Essayez d'installer votre bébé sur le ventre sur un ballon de plage légèrement dégonflé, puis en le tenant de façon sécuritaire, faites-le balancer de l'avant à l'arrière et d'un côté à l'autre du ballon. Chantez et parlez-lui pendant le jeu ; ceci l'aidera à garder sa concentration pendant que le rythme modéré et la pression soulagent son ventre. Arrêtez lorsqu'il sera fatigué. Lorsqu'il sera un peu plus âgé et presque capable de s'asseoir de lui-même, vous pourrez le maintenir assis sur le dessus du ballon de plage et le faire bouger très doucement de haut en bas.

| | |
|---|---|
| **Équilibre** | ✔ |
| **Confiance** | ✔ |
| **Force du haut du corps** | ✔ |

**DES COULEURS VIVES,** une surface molle et une sensation délicieuse de roulement forment une combinaison gagnante.

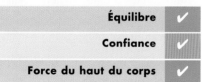

SI VOTRE BÉBÉ AIME CETTE ACTIVITÉ, essayez aussi *Bercer le bébé*, en page 41.

« Laisse-toi bercer, mon bébé ! »

43

DE LA NAISSANCE
0
ET PLUS

# BRUITEURS

## SENSATIONS SONORES

### HABILETÉS

**L'audition de différents sons** *provenant d'objets suspendus aiguisera l'acuité auditive et les capacités de distinction visuelle de votre bébé. La vision de ces objets l'aidera à se concentrer et dans quelques mois, lorsque votre bébé sera capable de saisir des objets, cette activité l'encouragera à développer ses mouvements globaux.*

**Q**UE LE SON soit familier, comme celui d'un mobile musical ou qu'il s'agisse d'une sonorité inconnue comme une nouvelle voix, les bruits suscitent la curiosité des plus jeunes bébés. Créez une symphonie de sons primitifs en attachant ensemble différents objets produisant des bruits : des couvercles de pots, des hochets légers ou des cuillères en plastique et en bois, sur une corde ou un ruban. Suspendez le bruiteur en l'agitant à une distance d'environ (30 cm)12" devant votre bébé.

Vous pouvez aussi l'attacher après le berceau et laisser le bébé l'observer pendant que vous agitez la corde ou secouez légèrement les objets devant lui, mais ne le laissez pas seul avec ce genre de jouet.

| Coordination œil-main | ✔ |
| Écoute | ✔ |
| Développement visuel | ✔ |

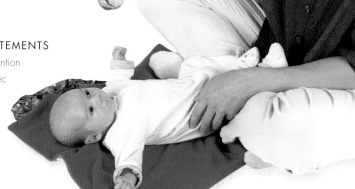

**LES SONNERIES, LES TINTEMENTS**
et les cliquetis capteront son attention
et l'aideront à se familiariser avec
la provenance des sons.

**44**

# ORNITHOLOGUES EN HERBE

## LE PREMIER COURS DE SCIENCES NATURELLES DE BÉBÉ

**U**N BATTEMENT D'AILES, une couleur éclatante, un sifflement ou un trille sont autant d'images et de sons susceptibles de fasciner la plupart des bébés. Le défi consiste à approcher l'enfant des oiseaux pour qu'il puisse les observer à loisir. Placez une mangeoire remplie de graines près du rebord d'une fenêtre. Lorsque les oiseaux commenceront à s'attrouper, prenez l'enfant dans vos bras et soulevez-le pour qu'il puisse regarder les oiseaux ou installez-le dans une chaise haute, d'où il pourra les regarder aller et venir. Très bientôt, il gazouillera de joie en observant ses amis à plumes.

**ELLE ADORE OBSERVER**
voltiger ces amusantes créatures volantes.

### HABILETÉS

**Un nouveau-né aura peine** à distinguer clairement les oiseaux, mais l'enfant pourrait détecter un coloris aux contours flous ou un vague mouvement. Au fil des mois suivants, l'observation des oiseaux l'aidera à développer son sens de localisation visuelle et ses capacités d'attention. La curiosité dont il fait montre à l'égard des oiseaux témoigne de son éveil au monde qui l'entoure. Dans un an, croyez-le ou non, il vous suppliera de le laisser vous aider à remplir la mangeoire !

✔ **Écoute**

✔ **Développement visuel**

SI VOTRE BÉBÉ AIME CETTE ACTIVITÉ, essayez aussi *Rubans ondulés*, en page 37.

**45**

# BÉBÉCYCLETTE

## UNE ACTIVITÉ POUR PRENDRE CONSCIENCE DE SON CORPS

### HABILETÉS

**En remuant ses jambes** *pour lui, vous permettrez à votre bébé de sentir ses petites jambes et ses petits pieds se déplacer d'une nouvelle fa-çon, soit en parallèle de chaque côté de son corps. Vous pourrez aussi imiter un geste qu'il utilisera éven-tuellement lorsqu'il commencera à ramper.*

À SA NAISSANCE, votre bébé ignore que son corps est séparé du vôtre, mais l'évolution de ses aptitudes physiques l'amè-nera à s'intéresser de plus en plus aux parties de son propre corps, et cet intérêt se poursuivra durant un bon moment, même lorsqu'il aura commencé à marcher. Ces exercices lui permettront d'apprécier des jeux de nature plus physique, interactifs. Dans l'exercice simple proposé ici, vous devez bouger très doucement et très lentement ses jambes comme s'il s'agissait d'une bicyclette, tout en lui parlant et en lui souriant pour l'encourager à remuer ses jambes de lui-même. Dans peu de temps, il saisira ses propres pieds et finira par pédaler de lui-même !

| Conscience du corps | ✔ |
| Mouvements globaux | ✔ |

**IL FAIT BON** s'étirer et gigoter, surtout lorsque c'est maman qui dirige l'exercice.

SI VOTRE BÉBÉ AIME CETTE ACTIVITÉ, essayez aussi *Massage pour bébé*, en page 22.

« Regarde aller ces petites jambes ! »

# SÉANCE D'ÉTIREMENTS

## GYMNASTIQUE EN DOUCEUR

**Je suis un p'tit bébé**

 sur l'air de **« Sur le pont d'Avignon »**

**Tout doux, fragile et tout potelé
Quand je m'étire par devant
Je me sens devenir grand
Mes bras sont bien plus longs,
Mes jambes sont bien plus fortes,
Même si ça vous épate,
Je serai bientôt à quat' pattes.**

| | |
|---|---|
| **Conscience du corps** | ✔ |
| **Stimulation tactile** | ✔ |

**UN BRAS EN HAUT,** une jambe en bas… un étirement léger est relaxant tant pour les bébés que pour les parents.

**A** **PRÈS AVOIR PASSÉ NEUF MOIS** dans l'utérus, le nouveau-né a souvent tendance à s'accroupir en position de fœtus. De légers exercices d'étirement l'aideront à prendre conscience de ses petits bras et de ses petites jambes. Couchez votre bébé sur le dos sur un lit, une table à langer ou au sol et allongez très doucement ses bras au-dessus de sa tête, puis abaissez-les. Essayez de soulever un de ses bras pendant que vous abaissez l'autre le long de son corps, puis ramenez un bras vers le haut tout en allongeant prudemment la jambe opposée.

**48**

3 MOIS ET PLUS 3

# VISE LE JOUET

## TOUS LES COUPS SONT PERMIS

**V**OTRE BÉBÉ POURRAIT ÊTRE CAPABLE de voir (à courte distance) aussi bien que vous, mais son habileté à saisir des objets est loin d'être comparable à la vôtre. Pour l'aider à se développer, attachez un jouet en peluche de petite taille ou un anneau de dentition à un ruban ou à des anneaux en plastique de couleurs vives. Faites pendre le jouet devant lui et balancez-le d'un côté à l'autre afin de l'inciter à essayer de s'en emparer. Encouragez-le dans ses efforts, alors qu'il essaie de rejoindre et de frapper ou même de s'emparer du jouet. Ne laissez jamais un bébé seul avec un long ruban, cela pourrait s'avérer dangereux.

### HABILETÉS

**Dès l'âge de trois mois,** *la plupart des bébés se servent simultanément de leur tête et de leurs yeux pour localiser des objets en mouvement. Ainsi, quand un objet se déplace vers la gauche, le bébé tourne la tête vers la gauche pour suivre l'objet des yeux plutôt que de seulement bouger les yeux, comme le fait un nouveau-né. Toutefois, il a encore besoin de pratiquer sa capacité d'agrippement. Essayer d'atteindre un objet en mouvement l'aide à affiner la coordination des deux côtés de son corps.*

| ✔ | **Coordination œil-main** |
| ✔ | **Motricité fine** |
| ✔ | **Développement visuel** |

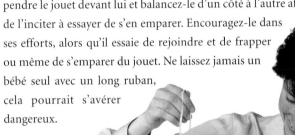

LORSQUE VOTRE PETITE FILLE agrippe un chiot rose en peluche, elle développe son habileté à s'approcher et à établir un contact avec son univers.

SI VOTRE BÉBÉ AIME CETTE ACTIVITÉ, essayez aussi *Des rebondissements à profusion*, en page 80.

**49**

# EXERCICE DE TIR

## ET HOP, UN BON BOTTÉ !

### HABILETÉS

**La coordination** *œil-pied est importante pour les bébés. L'utilisation conjointe des pieds et des yeux permettra éventuellement à votre bébé d'apprendre à marcher et d'éviter de se cogner sur les meubles.*

**I L A DÉJÀ DÉCOUVERT** le plaisir d'agiter ses petites jambes. Donnez à votre bébé une raison pour donner des coups de pied en tenant une cible devant lui pour qu'il essaie de la frapper. Lorsqu'il est allongé sur le dos sur la table à langer, sur un lit ou au sol, placez un oreiller, un jouet en peluche, vos mains ou une assiette à tarte à portée de ses petits pieds. S'il ne comprend pas le jeu, guidez ses pieds vers la cible et félicitez-le lorsqu'il atteint la cible. Une fois qu'il aura compris comment ce jeu fonctionne, il voudra recommencer encore et encore.

| Conscience du corps | ✓ |
| Coordination œil-pied | ✓ |
| Écoute | ✓ |

**IL VOIT SON PIED** entrer en contact, il entend le bruit qui en résulte et il sent.

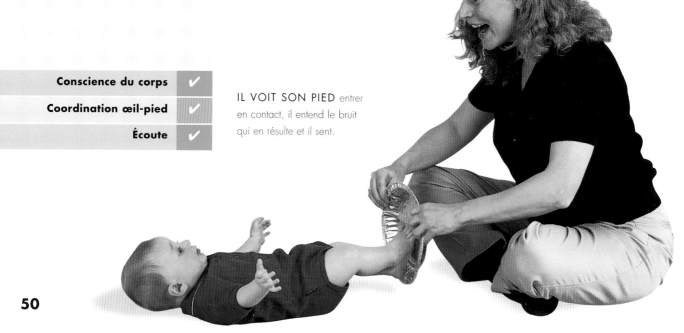

50

# JEUX DE CACHE-CACHE

3 MOIS ET PLUS

## VARIATIONS SUR UN THÈME

**M**AMAN EST LÀ, puis elle disparaît et revient à nouveau. Le jeu de cache-cache est un classique parmi les jeux favoris des bébés. Vers l'âge de six ou sept mois, les enfants commencent à comprendre que les objets continuent d'exister même lorsqu'ils ne les voient plus. Le jeu de cache-cache est un excellent moyen d'explorer ce concept avec votre enfant. Tenez une couverture ou une couche devant votre visage et dites : « Où est maman ? Où est maman ? », puis montrez-vous en arrivant derrière l'enfant ou placez une serviette légère devant le visage de bébé et dites : « Coucou ! » lorsque son visage apparaît.

### HABILETÉS

**Un nouveau-né croit** *que lorsqu'un objet disparaît, il n'existe plus. Lorsque vous disparaissez et réapparaissez derrière la couche, il commence à croire que même si vous avez été absente temporairement, vous êtes toujours là. L'assimilation du concept de la conservation de l'image mentale est un élément précurseur du développement langagier. Lorsqu'il sera assez grand pour placer la couverture lui-même devant son visage (bien que dans le désordre), vous le verrez donner des coups de pied et se tortiller de plaisir, alors qu'il contrôle désormais le jeu de cache-cache.*

| ✔ | **Permanence des objets** |
| --- | --- |
| ✔ | **Développement social** |

« COUCOU ! » C'est à la fois un soulagement et une surprise pour elle de constater que vous n'êtes jamais réellement partie.

**51**

# BABILLER AVEC BÉBÉ

## COURS DE LANGUE ÉLÉMENTAIRE

### HABILETÉS

**Répondre au** babillage de votre bébé l'encourage dans ses premiers efforts à communiquer en utilisant d'autres sons que des pleurs. Un renforcement positif de ses vocalisations lui fera comprendre que les gens accordent de l'importance à ce qu'il a à dire, ce qui l'encouragera, à long terme, à maîtriser le langage.

| Développement du langage | ✔ |
| Écoute | ✔ |
| Développement social | ✔ |

SI VOTRE BÉBÉ AIME CETTE ACTIVITÉ, essayez aussi *De la joie avec des marionnettes à doigts*, en page 97.

UN BÉBÉ ÂGÉ DE TROIS À SIX MOIS est un être sociable et enjoué qui émet une multitude de joyeux gazouillis, de cris, de grognements et de sourires irrésistibles. Bien qu'il ne soit pas encore capable de prononcer de véritables mots (ce qui se produira lorsqu'il approchera douze mois), il émet ces sons charmants comme façon d'explorer ce qu'il entend chaque jour. Les réponses que vous formulerez suite à ces vocalisations seront également importantes pour son apprentissage. Encouragez ses efforts en entretenant une conversation de babillage avec lui.

• Lorsqu'il dit « aaah ! » , prêtez l'oreille, approuvez de la tête et dites « aaah ! » à votre tour et lorsqu'il fait « goo ! », dites « goo ! » vous aussi.

• Une fois que vous êtes tous deux réchauffés, modifiez légèrement les mots en les étirant (« bah ! deviendra baaaaaah !) ou en ajoutant d'autres mots (« ooh ! » deviendra oooh-ouah ! »).

• Si vous encouragez votre enfant à vous imiter, cela l'amènera à essayer de nouvelles structures linguistiques plus complexes et éventuellement à tenter de prononcer de véritables mots, puis des phrases.

• **Nota** : l'emploi de ce langage de bébé n'est enrichissant que durant la période précédant celle où l'enfant commence véritablement à parler, car rendu à cette étape il est préférable de prononcer les mots de façon exacte, peu importe à quel point le langage de bébé peut vous sembler mignon.

## RAPPORT DE RECHERCHE

**Durant les six premiers mois,** *les bébés babillent, peu importe que vous leur parliez ou non. Cependant, ils apprendront plus facilement à parler si vous faites un effort pour leur montrer comment fonctionne le langage. En fait, tous les bébés, quelle que soit la langue parlée à la maison, s'expriment de la même façon jusqu'à l'âge d'environ six mois. Ensuite, ils commencent à répéter les sons qu'ils entendent le plus souvent.*

IL ÉMETTRA DES CRIS PERÇANTS ET SE TORTILLERA de plaisir lorsqu'il se rendra compte que vous lui répondez dans le cadre de cette conversation élémentaire.

53

# BÉBÉ DORT TOUTE LA NUIT

**Q**UAND L'ENFANT aura atteint l'âge de trois ou quatre mois, il aura probablement développé une structure de sommeil. Il pourrait s'agir d'une structure idéale ou s'avérer le plus grand défi de votre existence, soit que le bébé se réveille à toute heure de la nuit, qu'il ne fasse jamais de sieste pendant plus d'une demi-heure le jour, qu'il inverse le jour (heure du réveil) et la nuit (heure du coucher) ou quelque chose entre les deux.

Pour que bébé ait un horaire de sommeil « normal », vous devrez user du simple bon sens et d'une certaine logistique, ceci combiné à une bonne dose de patience et de courage.

Établissez un horaire pour le jour : des périodes de durée égale pour les sorties, les bains, le jeu et les repas. Cette régularité l'aidera à établir son horloge interne.

Établissez un horaire pour la nuit : un bain chaud, un pyjama confortable, une berceuse et quelques livres sont autant de formules éprouvées qui permettront à votre enfant de se détendre. Il n'est jamais trop tôt pour convaincre un bébé que manger la nuit est compliqué et ennuyant. Maintenez un éclairage faible, ne lui parlez pas trop, ne le laissez pas s'amuser avec ses jouets ou regarder la télévision et posez-le délicatement dans son berceau sur le dos dès qu'il est prêt à aller au lit.

Une fois que votre bébé aura atteint l'âge d'environ six mois, il n'aura pas vraiment besoin de manger la nuit. Certains parents choisissent d'opter pour le mode « laisser pleurer l'enfant » pendant quelques minutes, puis aller le réconforter et le laisser pleurer encore un peu. D'autres parents continueront de nourrir, de bercer, de marcher avec leur bébé ou de chanter en espérant que l'enfant dormira plus longtemps de lui-même. Avec le temps, la plupart des enfants apprennent à s'endormir d'eux-mêmes, ce qui constitue un atout important.

Quelle est la meilleure attitude à adopter ? Chaque famille représente un cas en soi et la formule magique, c'est que vous et votre bébé vous vous sentiez bien. Il s'agit là d'une décision très personnelle.

# SUPPORT VENTRAL

## RENFORCEMENT DU HAUT DU CORPS

**A**PPRENDRE À S'ASSEOIR est beaucoup plus difficile que de garder la tête haute. Cet exercice fait également appel aux muscles des épaules, du torse, du bas et du haut du dos. Vous pouvez aider votre bébé à développer ces muscles en lui offrant un « coussin » moelleux comme support. Roulez une serviette et attachez les extrémités à des bandeaux serre-tête faits de tissu doux, puis glissez la serviette sous ses bras et sa poitrine pendant que votre enfant est allongé sur le ventre, au sol ou sur un tapis. Le support l'aide à soulever son cou et ses épaules pendant de plus longues périodes et l'encourage à utiliser ses bras pour se supporter. Cela lui permet aussi d'avoir une meilleure vue sur son environnement et procure à ses parents une excellente occasion de le prendre en photo.

### HABILETÉS

**L'utilisation d'un support** comme celui-là habitue votre bébé à mettre du poids sur ses avant-bras et l'aide à renforcer les muscles de ses bras et de son dos, ce qui lui permettra éventuellement de s'asseoir et de se traîner à quatre pattes. De plus, cette position lui permet d'avoir une vision d'ensemble de son environnement et stimulera sa vision, lui donnant le goût d'essayer d'atteindre des objets, de rouler ou même de ramper vers l'avant.

✔ **Développement affectif**

✔ **Développement social**

✔ **Force du haut du corps**

Ainsi perché sur sa poitrine, **IL PROFITERA D'UNE TOUTE** nouvelle perspective sur son monde.

SI VOTRE BÉBÉ AIME CETTE ACTIVITÉ, essayez aussi *Et hop sur le ventre!* en page 60.

**55**

# VISAGES AMIS

## UN LIVRE DE PHOTOS

### HABILETÉS

**La combinaison** de ses facultés visuelles et son désir d'interaction avec les autres signifient que votre bébé est fasciné par les expressions faciales. Un livre rempli de visages différents lui permettra d'en observer un bon nombre. Il pourrait simplement les regarder, des yeux jusqu'à la bouche, puis revenir vers les yeux. Il se peut aussi qu'il essaie de pointer les images ou de leur parler.

**DÈS L'ÂGE DE TROIS MOIS,** votre bébé appréciera les expressions faciales au point d'en sourire ou d'en rire. Il sera également en mesure de faire la différence entre les visages des gens qu'il aime et les visages qui lui sont inconnus. Voilà pourquoi votre bébé vous adresse ce large sourire par-dessus l'épaule d'une autre personne et que vos amis n'ont droit qu'à un bref regard solennel. C'est aussi pourquoi tout son corps gigote lorsque vous le regardez par-dessus la balustrade de son lit, le matin. Il reconnaît votre visage et l'aime déjà beaucoup. En donnant à votre bébé un livre rempli de photos de visages, que vous pouvez soit acheter, soit assembler vous-même, vous lui ferez découvrir une multitude de visages et les nombreuses émotions qui s'en dégagent.

Il est même possible qu'il ait ses préférés, par exemple un petit garçon joyeux qui tient un chiot dans ses mains ou une photo de papa qui a l'air penaud avec son chapeau de pêcheur sur la tête.

### FABRIQUEZ VOTRE PROPRE ALBUM

Vous pouvez créer votre propre album en collant des photos (provenant de revues ou de votre collection personnelle) sur des morceaux de carton épais. Préservez-les au moyen de papier contact transparent, de protège-documents ou placez-les simplement dans un album photos.

| | |
|---|---|
| Développement social | ✓ |
| Distinction visuelle | ✓ |

**POINTER DU DOIGT LES GENS** qui apparaissent dans les photos aide votre bébé à faire le lien entre les noms et les visages.

3 MOIS ET PLUS

# LE JEU DU MIROIR

## QUI EST DONC CE BÉBÉ ?

### HABILETÉS

**Observer son propre visage** *et interagir avec son image reflétée dans le miroir augmente le développement de la conscience de votre bébé qu'il est une personne à part entière. S'allonger sur le ventre l'aidera à renforcer les muscles qui lui permettront de s'asseoir et de se promener à quatre pattes.*

| Force du haut du corps | ✔ |
| Stimulation visuelle | ✔ |

.....................................................
◄ SI VOTRE BÉBÉ AIME CETTE ACTIVITÉ, essayez aussi *Expressions faciales*, en page 24.
.....................................................

**U**N BÉBÉ DE TROIS OU QUATRE MOIS arrive à une étape où il peut s'amuser de lui-même pendant plusieurs minutes, ce qui représente un progrès intéressant à la fois pour le bébé et pour les parents. Vous l'entendrez gazouiller à l'intention de ses orteils, tôt le matin, par exemple et vous le verrez se tripoter le visage avec les mains ou regarder attentivement chaque coin de la pièce. Vers l'âge d'environ quatre mois, non seulement votre bébé pourra voir, mais également localiser, ce qui veut dire qu'il sera en mesure d'observer le déplacement d'objets ou de personnes. Maintenant que votre bébé est capable de soulever sa tête pendant qu'il est sur le ventre, il s'amusera beaucoup si vous placez un miroir dans son berceau. Il ne comprend pas encore que l'image réfléchie par le miroir est le sien et n'y parviendra qu'autour de quinze à dix-huit mois. Toutefois, son visage s'illuminera d'un large sourire en voyant son propre visage, car il sera heureux d'être accueilli par un être aussi fascinant !

**MIROIR, MIROIR,** devant moi…dis-moi quelle est cette adorable créature que je vois ? Votre bébé sera enchanté d'avoir ce nouveau compagnon de jeu, même s'il n'est pas en mesure de reconnaître son propre visage.

3 MOIS ET PLUS

• JOUER DANS LE BAIN • JEUX PENDANT LE CHANGEMENT DE LA COUCHE • MUSIQUE ET MOUVEMENT • ACTIVITÉS PHYSIQUES • PLAISIR TACTILE •

# ET HOP SUR LE VENTRE !

## RENFORCEMENT DU COU ET DU DOS

### HABILETÉS

**Chaque moment** *que votre bébé passe sur le ventre l'aide à développer sa force. Votre présence rassurante et la fierté que vous démontrez face à ses progrès (aussi modestes soient-ils) l'aident à apprendre que c'est une bonne chose pour lui de se tenir sur le ventre. Quand il se sentira inconfortable et que vous le retournerez sur le dos (comme vous devriez le faire), il se rendra compte une fois de plus que quelqu'un s'intéresse à ses efforts et y répond de façon positive.*

À **L'ÂGE DE TROIS MOIS,** certains bébés continuent de protester lorsqu'on les met sur le ventre. Cependant, il est extrêmement important qu'ils passent du temps dans cette position, car cela les aide à renforcer leur cou, leurs épaules et leurs muscles dorsaux afin de se préparer à s'asseoir et à se promener à quatre pattes.

• Vous ne devriez pas laisser votre bébé dans une position où il ne se sent pas bien, mais encouragez-le à apprécier de plus en plus cette position en vous allongeant devant lui, en plaçant un de ses jouets préférés en vue, en gardant avec lui un contact visuel et en socialisant un peu.

• S'il se met à improviser en se plaçant sur le ventre, encouragez-le à continuer. Éventuellement, il pourrait commencer à « agiter » ses mains et ses jambes avec fébrilité, par exemple ou raidir ses membres en se plaçant dans une position d'« avion » et se balancer de l'avant à l'arrière.

• Ne vous inquiétez pas s'il ne peut rester sur le ventre pendant plus d'une minute ou deux. Respectez son rythme et arrêtez l'exercice quand il en a assez. Vous pourrez recommencer plus tard. Bon nombre de bébés trouvent difficile la période où ils apprennent à se tenir sur le ventre, mais ils parviennent tous éventuellement à s'asseoir, à se promener à quatre pattes et à marcher.

| Développement affectif | ✔ |
|---|---|
| Développement social | ✔ |
| Force du haut du corps | ✔ |

SI MAMAN LE FAIT, il pourrait décider qu'il est NORMAL qu'il essaie de le faire un peu lui aussi.

« Je t'ai à l'œil, mon garçon. »

**RAPPORT
DE RECHERCHE**

**Vous êtes peut-être au courant** *de l'inquiétude de certains médecins qui croient que dormir sur le dos (une position actuellement conseillée afin de prévenir la « mort subite du nourrisson » ou la maladie de la mort subite) peut nuire au développement des mouvements globaux de l'enfant, parce que leur cou et les muscles de leur dos ne sont pas suffisamment exercés. En fait, des études récentes ont démontré que même si un certain nombre d'enfants qui dorment sur le dos se tournent et commencent à se promener à quatre pattes plus tardivement que ceux qui dorment sur le ventre, les deux types de dormeurs apprennent à marcher environ au même âge.*

# CHACUN SA PART

L EST ADMIS que dans la plupart des familles, c'est Maman qui s'occupe le plus des jeunes bébés. Malheureusement, plus elle en fait, plus elle et les autres membres de la famille ont l'impression qu'elle est la seule à le faire correctement. Voici quelques suggestions pour aider les autres membres de la famille à s'impliquer dans les jeux et les soins à prodiguer à votre bébé.

L'autre parent : si c'est la mère qui reste à la maison et que le père va travailler, elle change dix fois plus de couches que lui, prépare trois fois plus de repas et passe environ huit fois plus de temps à jouer avec bébé. Si les deux travaillent à l'extérieur, les statistiques démontrent que la mère passera tout de même plus de temps avec le bébé. Cette situation peut lui faire sentir qu'elle est l'experte en la matière et que son mari est maladroit.

Comment faire pour déléguer ? Expliquez à votre conjoint ce qu'il doit savoir au sujet de la sécurité du bébé (par exemple, que le bébé peut maintenant tomber en bas du lit), puis le laisser se débrouiller. Si la couche n'est pas assez serrée ou qu'il place le bébé dans une position qu'il n'aime pas, il s'apercevra vite de son erreur.

Les grands-parents : ils ont peut-être des idées différentes ou dépassées sur l'éducation des enfants ou ne se rappellent tout simplement plus comment faire. Toutefois, l'amour des grands-parents est précieux et votre enfant doit pouvoir en profiter. En expliquant ce qui est souhaitable et sécuritaire pour votre enfant, tout le monde devrait se sentir à l'aise. Laissez-leur savoir ce que votre bébé apprécie et exprimer leur amour à l'endroit de votre enfant.

Les gardiennes : les gardiennes régulières ont une bonne idée des jouets que votre bébé préfère, ce qui le rend heureux et les dangers qu'il court. Les gardiennes occasionnelles doivent être informées des goûts et des besoins du bébé. Indiquez à toute nouvelle gardienne où se trouvent les vêtements et les bouteilles additionnelles et la trousse de premiers soins. Laissez-leur des numéros de téléphone où ils pourront vous joindre en cas d'urgence, puis partez ! Il est aussi important pour les parents que pour les bébés que les jeunes enfants soient en sécurité sous la garde d'autres adultes.

3 MOIS ET PLUS 3

# LA MAGIE DU MOULINET

## UN VENT DE DÉCOUVERTE

**À** **L'AGE DE QUATRE MOIS,** la vue de votre bébé se sera développée de façon importante et il pourra contrôler sa tête et commencer à s'étirer pour essayer de toucher des objets. Cela veut dire qu'il est prêt et a hâte de découvrir les merveilles de ce vaste monde. Montrez-lui les magnifiques coloris aux contours flous qui s'animent lorsque vous soufflez sur un moulinet. Il ne sera pas capable de souffler lui-même avant l'âge d'un an, mais il prendra plaisir à vous observer l'agiter dans les airs (la plupart des bébés de cet âge tenteront d'attraper le moulinet. Ne le laissez pas faire, car les extrémités pointues pourraient le blesser et il risquerait d'avaler de petits morceaux). Vous avez également l'option de placer le moulinet à l'extérieur dans une jardinière et asseoir l'enfant près de la fenêtre pour qu'il puisse observer les couleurs qui défilent sous l'effet éolien.

### HABILETÉS

**Un moulinet** *attirera irrésistiblement la plupart des bébés. Vers l'âge de trois mois, ils sont fascinés par ce mouvement de couleurs floues et seront portés à essayer de frapper le moulinet avec les poings fermés. Dès l'âge de six mois, ils seront capables de bien voir et essaieront de toucher au moulinet. Nous vous suggérons de chanter une chanson sur le moulinet pour ajouter une autre dimension amusante à ce jeu d'observation.*

✔ **Développement social**

✔ **Développement visuel**

Le moulinet coloré de **GRAND-PAPA** attirera l'attention de bébé et lui procurera sans doute une vive sensation de plaisir.

**63**

# TIC-TAC

## LE JEU DU COUCOU

**Tic-tac**

**Tic-tac**
*Balancez bébé d'un côté à l'autre.*

**Je suis une petite horloge coucou**
*Balancez bébé d'un côté à l'autre.*

**Tic-tac**
*Balancez à nouveau bébé d'un côté à l'autre.*

**Il est une heure et je sonne un coup**
*Soulevez bébé doucement vers le ciel, une seule fois.*

**Coucou ! Coucou !**
*Répétez les couplets en ajoutant deux heures et trois heures et soulevez le bébé deux fois et trois fois, respectivement.*

| | |
|---|---|
| **Équilibre** | ✔ |
| **Conscience du corps** | ✔ |
| **Écoute** | ✔ |

**A**VEC UNE CHANSON SIMPLE, un léger bercement et en les soulevant doucement, la majorité des bébés sont aux anges. Tenez votre bébé sous les bras et maintenez sa tête droite. Vous pouvez vous asseoir ou rester debout avec votre bébé face au dos à vous. Les bébés aiment en regarder d'autres pendant cette activité. Si votre enfant a un compagnon ou une compagne de jeu, placez-les l'un vis-à-vis de l'autre pendant que vous chantez. Lorsque votre bébé sera devenu trop lourd pour être tenu ainsi, (soit entre neuf et douze mois), transformez l'activité en installant l'enfant sur vos genoux. Chantez et bercez-vous de l'avant à l'arrière, en faisant sauter légèrement votre petite puce sur vos genoux.

«Coucou ! Coucou !»

## RAPPORT DE RECHERCHE

**Vous croyez peut-être** *que votre enfant ne s'intéresse pas encore à la musique. En fait, de nombreuses études menées au cours des dernières années démontrent que les bébés sont capables de retenir une mélodie. Ils comprennent le rythme et la musique les aide même à se forger des souvenirs. Dans le cadre d'une étude menée en 1997 sur des enfants de trois mois, des chercheurs ont découvert que si les bébés entendent une chanson qu'ils ont déjà entendue sur leur mobile musical un à sept jours auparavant, ils se mettront à interagir avec leur mobile.*

IL N'A AUCUNE IDÉE de ce que peut être une horloge, mais se balancer de gauche à droite est tout de même fort amusant.

# UN PETIT EFFORT
# SUPPLÉMENTAIRE ET ÇA Y EST

## MOTIVER BÉBÉ À BOUGER

### HABILETÉS

**Avant même que votre bébé**
*soit en mesure de s'asseoir de lui-
même, il commencera à se rouler
d'un côté à l'autre. Cela veut dire
qu'il commence à se rendre compte
qu'il peut se déplacer par lui-même.
Encouragez-le à explorer sa nouvelle
mobilité en lui présentant des objets
susceptibles d'accaparer son attention. Accompagnez cet exercice d'interactions amusantes qui l'aideront
à développer avec vous une relation
d'intimité et qui sèmeront les germes
d'une saine estime de soi.*

**V**OUS POUVEZ ENCOURAGER les premiers
efforts de votre bébé pour saisir des objets et même à déplacer son
corps, en plaçant des objets attirants (des balles aux couleurs vives,
des jouets en peluche, ses livres d'images favoris et plus particulièrement, vous-
même) à sa portée. Encouragez-le à saisir les objets de quelque façon que ce
soit, en se traînant sur le ventre, en roulant sur le côté ou simplement en
s'étirant le plus possible, mais ne l'agacez pas. Aidez-le plutôt à progresser dans
cette activité. S'il commence à devenir frustré, donnez-lui le jouet et félicitez-le
pour ses efforts.

| Mouvements globaux | ✔ |
| Développement social | ✔ |

LES ÉTIREMENTS, LES ROULE-
MENTS et les exercices sur le ventre
aident à développer la force nécessaire
pour se promener à quatre pattes.

# ROULEMENTS SUR LE VENTRE

3 MOIS ET PLUS
3

## CONSCIENCE DU CORPS POUR DÉBUTANTS

**À SA NAISSANCE,** votre bébé n'était pas en mesure de faire la différence entre vous et lui-même et à quel endroit son corps se terminait et le vôtre commençait. Donnez-lui l'occasion d'accroître la conscience de son corps et stimulez son petit corps en faisant rouler doucement un ballon sur son ventre, puis sur ses jambes et ses bras. Veut-il saisir le ballon et lui donner un coup de pied ? Laissez-le faire, car il s'agit d'un excellent exercice de coordination. Vous pouvez également l'installer sur le ventre et faire rouler le ballon sur son dos. Ajoutez une chanson à cette activité pour la rendre encore plus amusante.

## HABILETÉS

**Ce léger massage** *prodigué par le ballon procure une stimulation tactile au bébé et l'aide à prendre conscience de son propre corps et saisir le ballon l'aide à développer sa coordination œil-main. S'asseoir en position verticale et tenir le ballon avec votre aide l'aideront à développer son équilibre.*

✔ **Équilibre**

✔ **Conscience du corps**

✔ **Stimulation tactile**

**LA PRESSION** d'un ballon de plage qui roule en occasionnant un léger chatouillement l'aide à se familiariser davantage avec son corps.

**67**

# DU PLAISIR DANS LA CUISINE

## À VOS FOURNEAUX

### HABILETÉS

**En manipulant** *les tasses et les cuillères et en les échappant, en les ramassant et en les mettant dans sa bouche, votre bébé apprend à se servir de ses bras et de ses mains. L'exploration d'objets avec la bouche aide l'enfant à se familiariser avec des notions physiques comme la douceur, la rugosité, le froid, la dureté, la légèreté et la pesanteur. Votre participation active à ces exercices est la meilleure garantie de progrès de l'enfant.*

MÊME SI VOTRE ENFANT peut saisir des objets comme un hochet, un animal en peluche ou vos cheveux, cela ne veut pas dire qu'il est capable d'exercer un contrôle sur l'objet. La véritable dextérité exige un contrôle subtil du poignet, de la paume et des doigts, ainsi que la faculté de juger les distances et de reconnaître les formes. Cet apprentissage nécessite beaucoup de pratique. Des ensembles de tasses et de cuillères à mesurer en plastique constituent d'excellents jouets à cette étape de son développement, car ils sont faciles à saisir et leurs surfaces sont intéressantes. Si votre bébé s'est habitué à ramasser des objets de lui-même, placez-les autour de lui, au sol. S'il n'arrive pas à ses fins de lui-même, placez les cuillères dans sa main et encouragez-le à les tenir. Ne soyez ni surpris ni déçu si les cuillères se retrouvent immédiatement dans sa bouche. Mettre des objets dans leur bouche constitue une façon saine pour les bébés de cet âge de se familiariser avec le monde.

| | | |
|---|---|---|
| **Coordination œil-main** | ✔ | |
| **Habilités motrices fines** | ✔ | |
| **Mouvements globaux** | ✔ | |

**L'UTILISATION DE CUILLÈRES** l'aide à comprendre comment ses mains, ses bras et des objets de différentes tailles fonctionnent.

SI VOTRE BÉBÉ AIME CETTE ACTIVITÉ, essayez aussi *Vise le jouet*, en page 49.

# RAPPORT DE RECHERCHE

**Bien qu'il y ait** *un facteur génétique quant à la « dextérité » affichée par votre enfant, le style de la mère est susceptible d'exercer une forte influence. Dans le cadre d'une étude menée par des chercheurs de l'Université DePaul de Chicago, on a découvert que les bébés ont souvent les mêmes habiletés manuelles que leur mère lorsqu'ils s'amusent avec des jouets et que la ressemblance s'accroissait au fur et à mesure qu'ils grandissaient. Mille excuses, messieurs, mais il semble que l'habileté manuelle des pères n'ait pas un impact aussi grand, ceci probablement parce que statistiquement parlant, les mères passent beaucoup plus de temps avec leur bébé.*

# PROMENADES
# SUR LES GENOUX

**A**JOUTEZ UNE TOUCHE DE REBONDISSEMENT à la promenade sur les genoux en tenant votre bébé sur votre genou et en le berçant légèrement de l'avant à l'arrière pendant que vous lui chantez une chanson pour enfant. Il s'agit là d'un excellent moyen de développer son sens du rythme et de mettre à l'épreuve son sens d'équilibre.

## AU MARCHÉ

Nous allons au marché,
nous allons au marché,
Pour acheter un cochon
Et nous revenons à la maison,
dondaine,
Et nous revenons à la maison,
dondon.

Nous allons au marché,
nous allons au marché,
Pour acheter une brioche,
Et nous revenons à la maison,
dondaine,
Et nous revenons à la maison,
dondon.

## LA MÈRE MICHEL

C'est la mère michel qui a perdu son chat
*Bercez votre bébé de gauche à droite sur vos genoux*
Qui crie par la fenêtre à qui le lui rendra
*Faites basculer le bébé sur un côté*
C'est le père Lustucru qui lui a répondu :
*Bercez votre bébé de gauche à droite sur vos genoux*
« Allez, la mère Michel, votre chat n'est pas perdu ! »

C'est la mère Michel qui lui a demandé :
*Soutenez la taille et le cou de votre bébé avec vos mains*
« Mon chat n'est pas perdu,
vous l'avez donc trouvé ? »
C'est le père Lustucru qui lui a répondu :
« Donnez une récompense, il vous sera rendu. »

Et la mère Michel lui dit : « C'est décidé,
Si vous rendez mon chat, vous aurez un baiser. »
Mais le père Lustucru, qui n'en a pas voulu,
Lui dit : « Pour un lapin, votre chat est vendu ! »
*Laissez doucement glisser le bébé dans l'espace entre
vos jambes*

## MARIANNE S'EN VA-T-AU MOULIN

**Marianne s'en va-t-au moulin,** *(répéter)*
*Bercez le bébé d'un côté à l'autre*
**C'est pour y faire moudre son grain.** *(répéter)*

**À cheval sur son âne,**
*Bercez le bébé de l'avant à l'arrière*
**Ma p'tite mamzell' Marianne,**
**À cheval sur son âne Catin,**
**S'en allant au Moulin.**

**Le meunier qui la voit venir,** *(répéter)*
*Soulevez votre bébé jusqu'à vos genoux*
*et reposez-le au sol*
**S'empresse aussitôt de lui dire,** *(répéter)*
**Attachez-donc votre âne Catin,**
**Par derrièr' le moulin.**

**Pendant que le moulin marchait,** *(répéter)*
*Bercez le bébé sur vos genoux*
**Le loup à l'entour rôdait,** *(répéter)*
**Le loup a mangé l'âne,**
**Ma p'tit mamzell, Marianne,**
**Le loup a mangé l'âne Catin,**
**Par derrière le moulin.**

## J'AI PERDU LE DOS DE MA CLARINETTE

**J'ai perdu le do de ma clarinette,** *(répéter)*
*Bercez l'enfant vers la gauche*
**Ah ! si papa il savait ça, tralala,** *(répéter)*
*Bercez l'enfant vers la droite*
**Il dirait : « Ohé !** *(répéter)*
*Balancez l'enfant vers l'arrière*
**Tu n'connais pas la cadence,**
**Tu n'sais pas comment on danse,**
**Tu n'sais pas danser Au pas cadencé.**
*Ramenez l'enfant vers votre poitrine*
**Au pas, camarade** *(répéter)*
*Bercez l'enfant de l'avant à l'arrière*
**Au pas, au pas, au pas**
**Au pas, camarade**
*Balancez l'enfant de l'avant à l'arrière*
**Au pas, au pas, au pas**
**Au pas, au pas.**
*Terminez en serrant l'enfant*
*contre vous*

BIEN PEU DE BÉBÉS résistent à
une chanson absurde accompagnée
de bercements rythmiques exécutés
par un des parents.

# VOYAGE DANS LES HAUTEURS

## PREMIÈRES LEÇONS DE VOL

### HABILETÉS

**Même si vous le maintenez fermement,** *cet exercice de « vol » aide votre enfant à développer les larges muscles de son dos et de ses épaules, surtout s'il lève la tête pour contempler le paysage. Il développe du même coup son sens d'équilibre naissant. Vous ne le lâcherez pas, bien sûr, mais il sentira un changement dans son centre de gravité, alors qu'il « volera » de haut en bas.*

**V** OTRE ONCLE GEORGES vous a peut-être lancé dans les airs quand vous étiez petit et vous avez sans doute adoré l'expérience, mais ce genre d'activité consistant à utiliser le bébé comme un ballon de plage n'est plus vu comme sécuritaire. Que ceci ne vous empêche pas de vous amuser en faisant « planer » votre bébé, mais soyez certain d'avoir une prise ferme sur sa petite poitrine et tenez-vous en à des mouvements légers et sécuritaires. Asseyez-vous droit au sol avec votre bébé devant vous. Soulevez-le, puis roulez sur le dos en le soulevant au-dessus de votre tête. Vous pouvez aussi le placer sur le ventre sur vos tibias, alors que vous êtes allongé sur le dos et que vous balancez ou soulevez légèrement vos jambes en maintenant les bras de votre bébé. Peu importe la méthode choisie, votre bébé aimera cette sensation de planer dans les airs, même si vous le maintenez de façon sécuritaire. Chantez-lui une chanson comme « Je vole haut » (page suivante) pour augmenter le plaisir.

| Équilibre | ✔ |
|---|---|
| **Force du haut du corps** | ✔ |

**LA SENSATION DE VOLER,** combinée à la joyeuse chanson de maman, son sourire et ses mains stables rend cette expérience sécuritaire et amusante.

SI VOTRE BÉBÉ AIME CETTE ACTIVITÉ, essayez aussi *Fais-moi rouler*, en page 32.

**Je vole haut**

sur l'air de « Jamais on n'a vu »

**Je suis un bébé**
**Qui vole très haut.**

**Voici le sol et voici le ciel**
**Comme un papillon ou un p'tit**
**oiseau.**

**Et hop, me revoici en haut !**
**Je suis un bébé qui vole très**
**haut.**

**73**

# LES PREMIERS LIVRES DE BÉBÉ

## L'HEURE DE LA LECTURE

### HABILETÉS

**La proximité physique** *de la lecture procure à votre bébé un sentiment d'intimité et de bien-être. En fait, avec le temps, une séance de lecture peut devenir un amusant rituel précédant l'heure du coucher et un moyen efficace de calmer un bébé pleurnicheur, malade ou hyperstimulé. En nommant les objets apparaissant sur les images, vous lui permettrez de développer ses capacités réceptives au niveau du vocabulaire et du langage.*

**L** EST ENCORE TROP JEUNE pour comprendre une histoire et probablement aussi pour tourner les pages. Cependant, initier un jeune enfant aux plaisirs de la lecture est une des choses les plus enrichissantes que vous puissiez faire pour votre bébé, car il associera la lecture à une activité positive.

• Les petits livres plastifiés sont recommandés à cet âge, car votre bébé peut les mâcher, les frapper et les saisir sans endommager les pages. Dans la seconde partie de sa première année d'existence, quand il apprendra à tourner lui-même les pages, il sera beaucoup plus facile pour lui de manipuler des livres plastifiés ou de papier-toile qu'il pourra traîner au bain.

• Les livres aux images vives et comportant un minimum de texte sont les plus appropriés, car ils lui permettent de s'initier à la magie d'univers illustrés sans qu'il y ait trop de narration. Indiquez du doigt les objets figurant dans chacune des pages : « Vois-tu le canard ? » « Où sont les bas ? » Un bon jour, l'enfant vous surprendra en pointant les objets de lui-même.

• La plupart des jeunes bébés n'ont pas encore assez de concentration pour écouter une histoire complète et se contenteront d'examiner les pages, mais certains bébés sont apaisés par les comptines et les histoires. Vous devez être attentif à ce qui lui plaît le plus et orienter votre séance de lecture en fonction de ses préférences.

| Développement affectif | ✔ |
| Développement du langage | ✔ |
| Développement visuel | ✔ |

SI VOTRE BÉBÉ AIME CETTE ACTIVITÉ, essayez aussi *Visages amis*, en page 56.

# RAPPORT DE RECHERCHE

**Il a peine à s'asseoir** *et ne saurait faire la différence entre un poulet et un camion à benne. Alors, pourquoi raconter une histoire à un bébé? Des études ont démontré que la lecture de contes, même à de très jeunes bébés, les aide à développer leur vocabulaire « réceptif » (le nombre de mots qu'ils sont capables de comprendre). Une étude menée dans le Rhode Island établissait une comparaison entre le vocabulaire réceptif de deux groupes d'enfants âgés de dix-huit mois. Le premier groupe avait souvent eu droit à des lectures en très bas âge et le deuxième groupe, non. Le groupe formé d'enfants qui avaient bénéficié de lectures fréquentes avait amélioré de 40 pour cent son vocabulaire depuis la petite enfance, tandis que le vocabulaire du second groupe n'avait progressé que de 16 pour cent.*

MÊME LES PLUS JEUNES BÉBÉS apprécient les moments passés bien pelotonnés contre leur mère ou leur père à écouter des mots et à regarder des images colorées.

**75**

# LES YEUX, LE NEZ, LA BOUCHE, LES ORTEILS

## UN EXERCICE POUR LE CORPS

### HABILETÉS

**Votre bébé ne saurait** *répéter un seul de ces noms de parties du corps, cela viendra plus tard. Toutefois, votre toucher lui procure une stimulation tactile et lui permettra de prendre davantage conscience de ses paramètres et de ses mouvements corporels. En nommant les parties du corps de façon régulière, vous l'aiderez à les reconnaître et à apprendre à les nommer de lui-même.*

| | |
|---|---|
| **Conscience du corps** | ✓ |
| **Développement du langage** | ✓ |
| **Stimulation tactile** | ✓ |

◄ SI VOTRE BÉBÉ AIME CETTE ACTIVITÉ, essayez aussi *Babiller avec bébé* en page 52.

**S**ES PIEDS QUI DONNENT DES COUPS, ses mains qui s'agitent et de façon générale, sa façon de remuer et de glousser sont autant de signes démontrant que votre bébé commence à comprendre qu'il a la faculté de contrôler les mouvements de son propre corps. Renforcez cette révélation en pointant les principales parties de son corps et en les lui nommant. Placez-le sur un lit, un tapis ou une table à langer. Touchez son visage et dites « visage » , puis placez ses petites mains sur votre visage et répétez « visage ». Faites la même chose pour ses yeux, son nez, sa bouche, son menton ainsi que ses jambes, son ventre, ses pieds et ses orteils, en lui faisant sentir chaque fois son propre corps, puis le vôtre.

« CECI EST TON visage et celui-ci est le mien ... ». Avant longtemps, il touchera son propre visage lorsque vous prononcerez le mot.

3 MOIS ET PLUS

# QU'EST-CE QUE CE PETIT CRI AIGU ?

## UN EXERCICE PRATIQUE

**E**NTRE LE TROISIÈME et le quatrième mois, la plupart des bébés essaient d'atteindre et de saisir des objets, mais ce n'est pas une sinécure, car l'enfant doit être en mesure d'exercer un contrôle important sur sa main. Il s'agit toutefois d'une découverte excitante, car il peut maintenant attirer à lui des objets plutôt que d'attendre que vous les lui remettiez. Pour l'aider à développer sa dextérité, tenez devant lui deux jouets émettant des cris aigus. Pressez le premier jouet, puis le second et encouragez l'enfant à saisir les jouets.

### HABILETÉS

**Pour commencer, votre bébé** *ne fera qu'agiter ses mains et donner des coups de pied. Cependant, les jouets émettant des cris aigus sont suffisamment invitants pour qu'il essaie de les frapper, ce qui constitue une excellente pratique pour sa co-ordination main-œil et lui permet de constater à quel point il peut s'é-tirer. S'il entre en contact avec le jouet, laissez-le le tenir, car le sen-timent de satisfaction qu'il en re-tirera lui donnera le goût de recom-mencer souvent cette activité.*

✔ **Coordination œil-main**

✔ **Écoute**

**PEU DE BÉBÉS RÉSISTENT** au son et à la vue d'un jouet grinçant aux couleurs vives, surtout lorsque les parents participent au jeu.

SI VOTRE BÉBÉ AIME CETTE ACTIVITÉ, essayez aussi *Des rebondissements à profusion*, en page 80.

**77**

# DES BULLES POUR BÉBÉ

## ATTEINDRE, TOUCHER ET FAIRE ÉCLATER

### HABILETÉS

**Observer des bulles flotter** *dans l'air permet à votre bébé d'exercer ses habiletés visuelles comme la localisation, la distance et la perception de la profondeur. Essayer de leur donner un coup constitue un excellent exercice pour développer la coordination œil-main de votre bébé. Si d'aventure il attrape une bulle, il aura droit à une leçon sur la relation entre la cause (je touche la bulle) et l'effet (la bulle éclate).*

**FAITES VOS PROPRES BULLES**

Pour confectionner la solution savonneuse, mélanger 1 tasse d'eau, 1 cuillère à thé de glycérine (en vente dans les pharmacies) et 2 cuillères à table de détergent à vaisselle. Faites sortir les bulles des couvercles de plastique dont vous aurez pris soin de découper le centre. **Assurez-vous de les garder loin du bébé.**

**À** QUAND REMONTE VOTRE DERNIER rendez-vous magique avec des bulles iridescentes dansant dans l'air? Que ceci ne vous empêche pas de partager cette activité simple et divertissante avec votre bébé.

• Achetez différents jouets produisant des bulles et faites des bulles de différentes grandeurs pour amuser votre bébé. Si vous envoyez de grosses bulles sur un morceau de vêtement, un tapis doux ou dans l'eau du bain, les bulles dureront plus longtemps et votre chasseur de bulles en herbe de cinq ou six mois aura l'occasion d'effectuer sa première prise. Vous pouvez aussi créer une douche de petites bulles en soufflant rapidement à travers une paille ou une pipe. La localisation de bulles au beau milieu des airs favorisera le développement des capacités visuelles du bébé.

• Une cascade de bulles représente une distraction de choix pendant le changement de couche. Si vous soufflez des bulles pendant que l'enfant prend son bain, le résidu savonneux que certaines bulles laissent au sol et sur les meubles rendra l'heure du bain encore plus amusante. Le tournoiement des bulles à l'extérieur du bain représente un divertissement particulièrement apprécié. Essayez d'envoyer les bulles haut dans les airs ou de les diriger le plus près possible du sol afin qu'elles se déplacent vers le haut grâce aux courants d'air.

| Cause et effet | ✔ |
| Coordination œil-main | ✔ |
| Développement visuel | ✔ |

SI VOTRE BÉBÉ AIME CETTE ACTIVITÉ, essayez aussi *La magie du moulinet,* en page 63.

3 MOIS ET PLUS

**LES BULLES FASCINENT**
même les plus jeunes bébés.

# DES REBONDISSEMENTS
# À PROFUSION

## S'EXERCER À ATTEINDRE LA CIBLE

### HABILETÉS

**Il sera incapable** de saisir des objets jusqu'au jour où il apprendra littéralement à cibler et à frapper avec ses petites mains et ses petits pieds. Ceci requiert une coordination œil-main et œil-pied, de même qu'une compréhension de la portée de ses bras et de ses jambes, ce qui viendra avec le temps et des exercices réguliers.

| Coordination œil-pied | ✔ |
| Coordination œil-main | ✔ |
| Stimulation tactile | ✔ |
| Développement visuel | ✔ |

**CE SONT PARFOIS** les jouets les plus simples qui amusent le plus les bébés pendant une période prolongée. Ainsi, le principe du bon vieux ballon de boxe adapté à votre enfant, de couleur vive (en vente dans les magasins de jouets), peut occuper un bébé jusqu'à l'âge de six mois et même au-delà. Les nouveau-nés fixeront ce globe s'il est suspendu au plafond ou dans l'encadrement de la porte. Les enfants de trois à six mois le frapperont des mains, lui donneront des coups de pied et tenteront éventuellement de l'entourer avec leurs mains. Vous ne parvenez pas à trouver un ballon de boxe? Suspendez un ballon de plage coloré. Quel que soit votre choix, assurez-vous de bien surveiller votre bébé quand il jouera avec ce ballon.

**IL ADORERA DONNER DES COUPS** sur ce gros ballon de couleur.

**80**

# LA BOÎTE DE PANDORE

3 MOIS ET PLUS

## JOIE ET SURPRISES

**P**RENEZ UNE PARTIE de cache-cache, ajoutez un peu de musique et l'effet de surprise occasionné par un jouet sortant d'une boîte et vous aurez la formule magique pour divertir un bébé de cinq ou six mois. Une fois qu'il aura appris qu'un jouet sort de la boîte à tout coup, il anticipera l'apparition du jouet au point où il ne pourra plus contenir son excitation. Dans peu de temps, il voudra vous aider à remettre le jouet dans la boîte et attendra impatiemment que vous fermiez le couvercle de la boîte et tourniez la poignée pour faire ressortir le jouet une fois de plus.

**IL ADORERA** vous voir tourner la poignée et vous aider à remettre le clown dans sa boîte.

## HABILETÉS

**Le son d'une manivelle** *qui tourne et le déclic invitant d'un jouet sortant de sa boîte procurent une stimulation auditive à votre bébé. L'apparition et la disparition à répétition du jouet jouent également un rôle important puisqu'elles augmentent la compréhension croissante de l'enfant quant à la permanence des objets.*

✔ **Cause et effet**

✔ **Écoute**

✔ **Stimulation visuelle**

 SI VOTRE BÉBÉ AIME CETTE ACTIVITÉ, essayez aussi *Jeux de cache-cache*, en page 51.

**81**

6 MOIS ET PLUS

# UNE BONNE POUSSÉE

## EXERCICES POUR LE BAS DU CORPS

### HABILETÉS

**Les muscles d'un bébé** *se développent à partir de la tête et du cou, des épaules et des bras, puis dans le dos et finalement dans les hanches, les cuisses et les mollets. À cet âge, le haut du corps de votre enfant est probablement assez développé (c'est pourquoi il peut s'asseoir), mais ses jambes ne sont pas encore assez robustes pour lui permettre de ramper. Cet exercice permet de renforcer les jambes et de lui donner un avant-goût de ce qu'il doit faire pour avancer.*

| | |
|---|---|
| **Équilibre** | ✔ |
| **Mouvements globaux** | ✔ |
| **Force du bas du corps** | ✔ |

SI VOTRE BÉBÉ AIME CETTE ACTIVITÉ, essayez aussi *Un petit effort supplémentaire et ça y est*, en page 66.

**I**L CROIT QU'IL PEUT LE FAIRE, il est convaincu de pouvoir avancer sur le ventre, mais sa coordination n'est pas encore suffisamment développée. Donnez-lui un élan en l'allongeant vers l'avant et en le laissant prendre appui contre vos mains ou sur une serviette roulée à ses pieds. Ne poussez pas et contentez-vous de soutenir ses pieds avec vos mains, alors qu'il s'incline vers l'avant. Une pratique d'une minute à ramper, de façon périodique, peut s'avérer euphorique pour votre bébé et une séance de deux minutes pourrait suffire à lui permettre de faire un pas de plus vers une plus grande mobilité.

QUELQUEFOIS, UN PEU DE SOUTIEN arrière peut aider les aspirants.

# DES SURPRISES À L'INTÉRIEUR

6 MOIS ET PLUS

## LES DOIGTS INQUISITEURS ET LA MAGIE DU PAPIER

**IL FOUILLE** dans ses tiroirs, explore le porte-revues et sort tous les livres de son tiroir… Ce comportement cause probablement le désordre dans votre maison, mais ses explorations continuelles sont le signe, chez un enfant, d'un développement sain. Voici une façon constructive d'occuper ces petites mains baladeuses pour éviter les dégâts : emballez, mais pas trop solidement, quelques-uns de ses jouets dans un papier de couleur vive, mettez-les dans un grand sac à provisions et laissez-le fouiller à l'intérieur, déballer et redécouvrir ses jouets.

Cette activité permet d'occuper et d'amuser l'enfant pendant les déplacements en auto ou les voyages en avion.

### HABILETÉS

**Il faut posséder** *des habiletés motrices fines pour réussir à déballer un objet et bébé se régalera du bruit du papier froissé. Au début, vous devrez peut-être lui montrer comment déballer les objets, mais une fois qu'il aura maîtrisé les mouvements, il comprendra vite que les choses intéressantes viennent dans un emballage.*

**IL S'AGIT DU MÊME BALLON** avec lequel il joue depuis des mois, mais le fait qu'il ait été emballé dans un papier de couleur vive lui donne l'impression d'une surprise.

✔ **Habiletés motrices fines**

✔ **Résolution de problèmes**

✔ **Stimulation tactile**

SI VOTRE BÉBÉ AIME CETTE ACTIVITÉ, essayez aussi *Ensemble de boîtes*, en page 134.

**83**

# FAIS-TOI ALLER, MON BÉBÉ !

## HOCHET POUR BÉBÉS PLUS ÂGÉS

### HABILETÉS

**La maîtrise du mouvement** *exquis d'agitation et le fait de produire un son de crécelle donneront à votre bébé une sensation de puissance et renforceront sa conscience de la cause et de l'effet, alors qu'il reproduit le bruit encore et encore. Ceci l'aidera aussi à exprimer son sens du rythme, en plein développement.*

**DÈS L'ÂGE DE SIX MOIS,** votre bébé aura déjà compris que ses mains sont reliées à ses doigts d'une quelconque façon et contrôlera déjà bien les mouvements de ses bras et de ses mains. Désormais, il voudra utiliser ses mains pour explorer son environnement, que ce soit en tapotant, en frappant ou en agrippant tout ce qui se trouve à sa portée. Au fur et à mesure qu'il découvrira les propriétés des objets qu'il touche, soit leur forme, leur texture, leur poids et bien sûr, leur goût, il s'étonnera des différents sons produits par ces objets. Donnez-lui un coup de main dans ses explorations en lui offrant des maracas rudimentaires confectionnés avec des bouteilles de plastique remplies de matières qui font du bruit. Montrez-lui comment agiter les maracas. Une fois qu'il en aura compris le mécanisme, il ne voudra plus s'arrêter !

### COMMENT FABRIQUER LES VÔTRES

Des bouteilles d'épices en plastique feront d'excellents maracas, car elles sont suffisamment petites pour que votre bébé puisse en faire le tour avec ses mains. Remplissez-les de sable, de fèves séchées ou de cailloux et fermez-les solidement avec de la colle ou du ruban adhésif en toile et bébé sera prêt à donner un concert.

| Cause et effet | ✔ |
| Mouvements globaux | ✔ |
| Écoute | ✔ |

SI VOTRE BÉBÉ AIME CETTE ACTIVITÉ, essayez aussi *Musiciens en herbe,* en page 92.

**84**

6 MOIS ET PLUS

« Brasse-moi ça, mon bébé ! »

**UNE BOUTEILLE REMPLIE DE SABLE**
est un jouet simple, mais le son qu'il produit
est une véritable symphonie aux oreilles de
votre bébé.

**VIDER LES JOUETS D'UNE BOÎTE OU D'UN BOCAL**
est encore plus amusant avec des compagnons de jeu.

# LE PLAISIR DE VIDER UN CONTENANT

## LE JEU DU REMPLISSAGE ET DU VIDAGE

**V** IDER DES OBJETS hors d'un contenant et les re-mettre à leur place constitue l'un des sports favoris des bébés qui sont capables de s'asseoir et d'utiliser leurs mains. Votre enfant trou-vera sûrement quelque chose à vider et à remplir quelque part dans la maison. Bien qu'il se ferait un plaisir de vider le contenu de vos paniers et armoires pendant un avant-midi complet, nous vous suggérons de lui présenter une façon plus propre et plus appropriée pour un enfant de cet âge de jouer à vider et remplir en lui donnant un grand pot de plastique d'un gallon à large ouverture, un grand contenant de rangement en plastique ou encore un grand bol en acier inoxydable. Remplissez ce contenant de tasses à mesurer, de bols en plastique, de blocs, de petits jouets en peluche, d'anneaux de plastique et de hochets, puis asseyez-vous par terre à côté de l'enfant et aidez-le à remplir et à vider le contenant à quelques reprises. Ce dernier sera bientôt très occupé à vider et à remplir le contenant lui-même et voudra recommencer encore et encore.

## HABILETÉS

**En plus de divertir** *votre bébé, vider et remplir des contenants le familiarisera avec les tailles, les for-mes et les poids d'objets divers. Cela lui permettra aussi de s'initier à la notion d'espace (relation spatiale), comme gros et petit et vide et plein. Vider et remplir un contenant per-mettent d'exercer à la fois les mou-vements globaux et les habiletés mo-trices fines.*

✔ **Habiletés motrices fines**

✔ **Mouvements globaux**

✔ **Distinction des tailles et des formes**

✔ **Relation spatiale**

SI VOTRE BÉBÉ AIME CETTE ACTIVITÉ, essayez aussi *Laisser tomber une balle,* en page 108.

**87**

# UN ENVIRONNEMENT SANS DANGER POUR BÉBÉ

**Q**U'IL roule, rampe, se promène à quatre pattes ou explore les lieux de quelque façon que ce soit, un bébé qui se déplace est susceptible de se blesser. Les façons d'éviter des accidents dépendent des intérêts particuliers de votre enfant (par exemple, ce ne sont pas tous les petits qui sont attirés par les plantes). Certaines précautions doivent être observées, et ce peu importe le comportement actuel de votre bébé, car les conséquences pourraient être graves.

Les prises de courant: les bébés sont très attirés par les petites ouvertures. Il est facile d'installer des bouchons ou des capuchons et d'éviter un drame.

Les armoires: toute armoire ou garde-robe susceptible de contenir des objets pointus, toxiques ou cassants doit être hors de portée du bébé. Pour plus de sécurité, déplacez les articles dangereux à un endroit hors de sa portée.

Des meubles peu solides: si votre bébé se cogne ou tire sur un meuble peu solide, il pourrait le renverser et se blesser gravement. Fixez les meubles peu solides (comme des étagères de livres) à un mur et retirez des meubles tout objet lourd susceptible de tomber en cas de contact.

Les risques d'étouffement: ne perdez jamais de vue des petits objets qui tombent fréquemment au sol, comme des boutons, des aiguilles, des pièces de monnaie, des pilules ou des boucles d'oreilles. En balayant et en passant l'aspirateur régulièrement, vous réduirez de beaucoup ces dangers.

Les escaliers: placez des barrières en haut et en bas de chaque volée d'escalier.

Les objets potentiellement dangereux: ne laissez jamais traîner où à portée de votre enfant des objets comme des couteaux, des ciseaux, des ouvre-lettres, des rasoirs, des stylos ou des verres à boire.

Malheureusement, l'opération Sécurité-poupon ne se fait pas en une fois. Au fur et à mesure que votre bébé grandira, qu'il deviendra de plus en plus mobile et de plus en plus hardi, vous devrez surveiller tout objet où il pourrait se cogner la tête, ce qu'il est en mesure d'atteindre ou dans quoi il pourrait glisser les doigts.

# LE JEU DE LA PERMUTATION

6 MOIS ET PLUS

## FAIRE PASSER UN OBJET D'UNE MAIN À L'AUTRE

**V** OTRE BÉBÉ est maintenant capable de bien tenir des objets, qu'il s'agisse de son éléphant préféré en peluche ou d'une mèche de cheveu. Toutefois, il sera peut-être incapable de passer un objet d'une main à l'autre, ce qui nécessite un mouvement coordonné des deux mains (elle échappera sans doute un objet en tentant de prendre l'autre qu'on lui présente). Pour l'aider à exercer ses deux mains, placez un petit jouet dans une de ses mains et laissez-le jouer avec durant un certain temps, puis présentez-lui un autre jouet en direction de la même main. Encouragez-le à faire passer le premier jouet d'une main à l'autre plutôt que de l'échapper. Et quelle sera sa récompense pour avoir réussi cet exploit ? Le plaisir de tenir deux jouets à la fois !

### HABILETÉS

**Faire passer un jouet** *d'une main à l'autre permet à l'enfant de s'habituer à saisir et à relâcher simultanément un objet, ce qui n'est pas facile pour un bébé. Cela lui permettra aussi de croiser le centre vertical de son corps avec ses mains, un exercice qui le préparera à se promener à quatre pattes et à marcher.*

| | |
|---|---|
| ✔ | **Coordination bilatérale** |
| ✔ | **Coordination œil-main** |
| ✔ | **Habiletés motrices fines** |
| ✔ | **Saisir et relâcher** |

TENIR DEUX JOUETS
à la fois exige de la pratique, mais le résultat est doublement agréable !

**89**

6 MOIS ET PLUS

• JOUER DANS LE BAIN • JEUX PENDANT LE CHANGEMENT DE LA COUCHE • MUSIQUE ET MOUVEMENT • ACTIVITÉS PHYSIQUES • PLAISIR TACTILE •

# JOUER AU BALLON

## LE PLAISIR DE SE PROMENER À QUATRE PATTES ET D'ATTRAPER

### HABILETÉS

**Quand un objet qu'il désire** se trouve juste au-delà de sa portée, votre bébé peut avoir envie de passer à la prochaine étape de sa progression au niveau de la mobilité, qu'il s'agisse de se rouler, de ramper ou de se promener à quatre pattes. Apprendre à arrêter un objet en mouvement renforce son sentiment de pouvoir personnel en plein développement, car il commence à exercer un contrôle sur son environnement. Toutefois, ne vous attendez pas à ce qu'il fasse rouler le ballon dans votre direction ou qu'il vous le relance, car ce sont des habiletés qu'il développera au cours de sa deuxième année d'existence.

| | |
|---|---|
| Équilibre | ✔ |
| Coordination œil-main | ✔ |
| Mouvements globaux | ✔ |
| Relation spatiale | ✔ |

**I**L N'EST PAS ENCORE PRÊT à attraper le ballon, mais le récupérer sera pour lui un jeu auquel il voudra se livrer encore et encore. Faites rouler un ballon en plastique de taille moyenne ou une grosse balle en tissu juste assez loin du bébé pour qu'il ait à se déplacer pour s'en emparer. Vous pouvez aussi le faire rouler dans sa direction pour qu'il s'habitue à l'arrêter avec ses mains. Suggestion : ne gonflez pas entièrement le ballon afin qu'il soit plus facile pour l'enfant de le saisir et de le manipuler.

UN BÉBÉ S'AMUSERA COMME UN PETIT FOU à arrêter un ballon qui roule et se familiarisera du même coup avec la notion de déplacement des objets.

**90**

# « Voici le ballon ! »

6
9 MOIS
ET PLUS

# MUSICIENS EN HERBE

## UN FOND SONORE

### HABILETÉS

**Suivre un rythme** *ne fait pas encore partie de ses facultés musicales, mais lui faire comprendre que la musique est une activité de participation et de plaisir l'aidera dans son développement musical et social. Cette activité exerce ses mouvements globaux et ses habiletés motrices fines et établit une association positive avec la musique.*

**I**L N'EST JAMAIS TROP TÔT pour initier votre enfant à la musique, mais il ne sera capable d'en jouer qu'au moment où il sera assez grand pour contrôler des objets (même si ce n'est que quelque peu). Vous pouvez augmenter son plaisir d'écoute en lui donnant des objets à remuer, à faire sonner et à rouler pendant qu'il fait l'audition de musique enregistrée ou de votre propre voix. Rassemblez quelques hochets et des jouets émettant des sons aigus, montrez-lui comment s'en servir et laissez-le improviser.

| | |
|---|---|
| **Habiletés motrices fines** | ✔ |
| **Mouvements globaux** | ✔ |
| **Écoute** | ✔ |
| **Exploration rythmique** | ✔ |

◀ SI VOTRE BÉBÉ AIME CETTE ACTIVITÉ, essayez aussi *Xylophones en folie*, en page 84.

**UN BÉBÉ DEVIENT** sa propre section rythmique dès qu'on lui confie quelques jouets musicaux simples.

# S'AMUSER AVEC DES TUBES

6 MOIS ET PLUS

## UN JEU D'EMPILAGE

**V**OTRE BÉBÉ n'a sans doute pas encore mis le pied dans un océan, un lac ou même une barboteuse, mais de larges tubes de natation lui procureront beaucoup de plaisir, et ce même sur la terre ferme. Les enfants capables de s'asseoir et de se promener à quatre pattes aiment utiliser des tubes pour s'asseoir ou jouer à cache-cache dans les anneaux. Asseyez l'enfant près d'une surface douce, empilez le reste des tubes jusqu'à la hauteur de sa poitrine et soulevez-les en criant « Bouh ! » avec enthousiasme. Les bébés qui sont plus mobiles s'amuseront à se glisser à l'intérieur et à l'extérieur des tubes posés au sol.

### HABILETÉS

**Jouer à cache-cache** avec des tubes de natation permet au bébé de vivre une expérience de séparation visuelle avec vous de façon temporaire, ce qui l'aidera à comprendre peu à peu que lorsque vous quittez son environnement immédiat, vous n'êtes pas définitivement disparu. Glisser à l'intérieur, à l'extérieur et par-dessus les anneaux permettra à votre bébé de s'exercer à bouger sur des surfaces inégales, ce qui favorise le développement de son équilibre et de sa coordination.

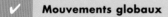
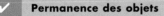

| ✔ | **Équilibre** |
| ✔ | **Mouvements globaux** |
| ✔ | **Permanence des objets** |

EMPILEZ-LES et que le plaisir commence ! Vous pourrez jouer à toutes sortes de jeux en vous servant de tubes de natation.

**93**

# CHANSONS POUR TAPER DES MAINS

**A**U FUR ET À MESURE que la dextérité manuelle de votre bébé se développera, il s'intéressera de plus en plus à des mouvements manuels comme taper des mains, claquer des doigts et envoyer la main. Augmentez son plaisir en chantant des chansons demandant une participation au moyen de gestes simples. Bien qu'il ne soit pas en mesure d'exécuter chacun des mouvements, il finira par apprendre à taper des mains ou à saluer à un endroit précis de la chanson et vous constaterez à la largeur de son sourire à quel point il est fier de ses nouvelles habiletés. Encouragez-le en le faisant taper dans ses mains ou en le faisant saluer ou faites-le vous-même.

## BINGO

**Il était une fois un fermier qui avait un chien**
**Bingo était son nom**
**B-I-N-G-O**
**B-I-N-G-O**
**B-I-N-G-O**
**Bingo était son nom**

**Il était une fois un fermier qui avait un chien**
**Bingo était son nom**
*Tapez un coup dans les mains-***I-N-G-O**
*Tapez un coup dans les mains-***I-N-G-O**
*Tapez un coup dans les mains-***I-N-G-O**
**Bingo était son nom.**
*Continuez de taper une fois de plus dans vos mains en retirant une lettre de plus chaque fois.*

## CHÈRE ÉLISE

**Avec quoi faut-il chercher l'eau,**
**Chère Élise, chère Élise,**
**Avec quoi faut-il chercher l'eau ?**
*Soulevez les mains et tapez des mains*

**Avec un sceau, mon cher Eugène**
**Cher Eugène, avec un sceau !**
*Soulevez les mains et tapez des mains*

**Mais le sceau, il est percé,**
**Chère Élise, chère Élise,**
**Mais le sceau, il est percé.**

**Faut le boucher, mon cher Eugène,**
**Cher Eugène,faut le boucher !**

**Avec quoi faut-il le boucher,**
**Chère Élise, chère Élise,**
**Avec quoi faut-il le boucher ?**

**Avec de la paille, mon cher Eugène,**
**Cher Eugène, avec de la paille !**

QUE VOUS FASSIEZ le geste pour lui
ou qu'il fasse de lui-même des mouvements
élémentaires, le fait de combiner des mots,
de la musique et des gestes contribue à
former le vocabulaire de votre enfant.

## CLIC-CLAC DANS LES MAINS

*Tapez de façon rythmée dans vos mains*

**Clic-clac, clic-clac dans les mains,**
**ça les réchauffe, ça les réchauffe,**
**clic-clac, clic-clac dans les mains,**
**ça les réchauffe vite et bien.**

6 MOIS ET PLUS

• JOUER DANS LE BAIN • JEUX PENDANT LE CHANGEMENT DE LA COUCHE • MUSIQUE ET MOUVEMENT • ACTIVITÉS PHYSIQUES • PLAISIR TACTILE •

# L'ENFANT AU TAMBOUR

BOUM ! BOUM ! BOUM !

## HABILETÉS

**À cet âge,** *les bébés commencent à acquérir une notion très élémentaire de cause et effet. Frapper un objet qui produit un bruit renforce ce concept et développe la coordination œil-main du bébé. Le fait d'entendre les différents sons produits par divers objets l'aide à se familiariser avec les propriétés de ces objets, ce qu'il transférera éventuellement à d'autres situations.*

| Cause et effet | ✔ |
| Coordination œil-main | ✔ |
| Écoute | ✔ |

SI VOTRE BÉBÉ AIME CETTE ACTIVITÉ, essayez aussi *Musiciens en herbe,* en page 92.

**L**A CAPACITÉ de manipuler des objets est très valorisante pour de jeunes bébés en plein développement de leurs habiletés motrices fines, mais lorsque ces objets font du bruit, leur plaisir est encore plus grand. Il est facile de divertir bébé en installant près de lui des pots, des casseroles et des bols et en lui donnant des cuillères en bois. Montrez-lui comment taper sur les « tambours » pour produire des sons, puis encouragez-le à le faire lui-même. Il pourrait frapper accidentellement sur les pots et aimer tellement l'effet qu'il se mettra à taper volontairement de lui-même sur cette batterie improvisée.

RANTANPLAN et boum ! boum ! boum !… cette batterie élémentaire l'initie aux plaisirs de faire du bruit, ainsi qu'à l'idée que ses actions peuvent influencer son entourage.

# DE LA JOIE AVEC DES MARIONNETTES À DOIGTS

## LA MAGIE AU BOUT DES DOIGTS

**F**ASCINÉS PAR LE MOUVEMENT et raffolant des animaux en peluche, les bébés constituent l'auditoire idéal pour un spectacle de marionnettes miniature. Glissez une ou deux marionnettes à doigts sur vos doigts et faites-les danser, s'embrasser, se chatouiller, chanter et parler à votre petit spectateur. À cet âge, il voudra sans doute les toucher, saisir une marionnette et se la mettre dans la bouche, ce qui est normal (laissez-le faire, mais assurez-vous que les marionnettes ne contiennent pas de petits morceaux susceptibles de se détacher et d'être avalés). Il réagira peut-être aussi en babillant, en émettant des gazouillis et en lançant des framboises à ces comédiens en mouvement.

• Trouvez une chanson appropriée et transformez votre spectacle en comédie musicale !

### HABILETÉS

**Écouter les marionnettes** *parler et chanter initiera l'enfant à l'art de la conversation, alors que la première personne parle (ou la marionnette), puis que l'autre personne répond. Interpellé par ses petits amis, l'enfant est à la fois diverti et stimulé et sera peut-être tenté d'interagir avec vous.*

✔ **Développement social**

✔ **Stimulation tactile**

UNE JOYEUSE SOURIS
mauve lui fera un excellent
partenaire avec qui babiller.

**97**

« Où est l'écharpe ? »

**PARFOIS, UN SIMPLE** tube de carton
suffit à envoyer un bébé au septième ciel.

6
MOIS
ET PLUS

# ÉCHARPES MAGIQUES

## UN TOUR DE MAGIE

**S**I VOUS ÊTES EN QUÊTE d'un jouet polyvalent qui saura intéresser votre enfant pendant plusieurs étapes de son développement, ne cherchez plus et dirigez-vous vers l'armoire la plus proche. De vieilles écharpes en soie amuseront votre enfant pendant toutes ses années préscolaires. Pendant qu'il est encore bébé, l'un des jeux les plus appropriés consiste à insérer une écharpe de couleur vive dans l'une des extrémités d'un tube de carton et de le laisser pendre de l'autre côté du tube. Le tube n'est pas absolument essentiel, car vous pouvez aussi cacher la majeure partie de l'écharpe dans votre poing et laisser l'enfant chercher où il se trouve et en saisir l'extrémité. Ajoutez un élément excitant à ce jeu en y intégrant un brin de mystère par la parole : « Où est l'écharpe ? » « Où est-elle partie ? » « Oh, la voilà ! » « Coucou ! » pour faire participer l'enfant.

### FABRIQUEZ LE VÔTRE

Si vous n'avez aucune écharpe à portée de la main, achetez un morceau de tissu muni de carrés de couleurs vives dans une boutique ou un magasin de tissus. Des boîtes de mouchoirs vides peuvent remplacer le tube de carton. Montrez à votre enfant comment insérer l'écharpe à l'intérieur de la boîte et la retirer.

### HABILETÉS

**Saisir l'écharpe de soie** et la sortir du tube permet à l'enfant d'exercer sa coordination œil-main en plus de ses habiletés motrices fines. De plus, le fait de voir l'écharpe disparaître et de la voir réapparaître à l'autre extrémité augmentera sa compréhension de la permanence des objets.

✔ **Coordination œil-main**

✔ **Permanence des objets**

✔ **Stimulation tactile**

SI VOTRE BÉBÉ AIME CETTE ACTIVITÉ, essayez aussi *Planches de jeux*, en page 101. ▶

**99**

# ARRÊTER LA TOUPIE

## ÇA TOURNE RONDEMENT

### HABILETÉS

**Toucher un objet** *stationnaire comme un bloc est un défi, mais localiser et toucher à un objet qui se déplace est une autre paire de manches. Il s'agit d'une activité que votre enfant devra pratiquer à maintes reprises. De plus, constater qu'un simple toucher suffit pour arrêter la toupie ou l'envoyer par terre donne à votre enfant une leçon sur la notion de cause et d'effet.*

| | |
|---|---|
| **Cause et effet** | ✔ |
| **Coordination œil-main** | ✔ |
| **Relation spatiale** | ✔ |

**LA TOUPIE** est un jouet traditionnel qui fait la joie des bébés. Les plus petits ne sont évidemment pas capables d'exercer une pression suffisante de haut en bas sur la poignée, mais cela ne doit pas pour autant en faire des observateurs passifs. Faites tourner la toupie devant votre bébé et montrez-lui comment l'arrêter en la touchant avec votre main. En un rien de temps, il aura compris comment faire cesser de lui-même ce tournoiement de couleurs et ce bruissement harmonieux.

UNE TOUPIE est fascinante et aide l'enfant à développer sa coordination œil-main.

**100**

# PLANCHES DE JEUX

## DE PETITES TÂCHES POUR DE PETITS DOIGTS

**L**ES PLANCHES DE JEUX TRADITIONNELLES avec des cylindres et des cadrans qui tournent et des boutons produisant des sons aigus occupent les mains de bébé et lui procurent des heures de plaisir. Toutefois, vous devrez installer la planche de jeu de façon à ce que tous les jeux soient à sa portée et lui en montrer le fonctionnement, puis le laisser les essayer lui-même. Pour commencer, il ne pourra que réussir à faire les activités les plus simples comme frapper un ballon qui tourne ou introduire son doigt dans une ouverture du cadran, mais au fil des mois il apprendra à tourner le cadran et à obtenir des sons en jouant avec les boutons.

**VOUS PIQUEREZ** sa curiosité et l'occuperez pendant des heures avec un de ces jeux classiques.

### HABILETÉS

**Même les activités les plus simples** *permettent à un bébé de développer sa dextérité et sa coordination manuelles, ce qui lui permettra de passer à des activités plus complexes en l'espace de quelques mois. Apprendre qu'en touchant à différents boutons, il est possible d'obtenir des résultats différents l'aide à classifier mentalement ces résultats et lui permet de développer son sentiment de maîtrise.*

| | |
|---|---|
| ✔ | **Cause et effet** |
| ✔ | **Coordination œil-main** |
| ✔ | **Habiletés motrices fines** |

SI VOTRE BÉBÉ AIME CETTE ACTIVITÉ, essayez aussi *Livre d'activités*, en page 128.

**101**

# L'ANXIÉTÉ FACE
# À LA SÉPARATION

**A**U MOMENT MÊME où votre bébé acquiert une bonne dose de mobilité et un brin d'autonomie, il désirera soudainement votre présence. La nouvelle indépendance de votre bébé et son sentiment d'anxiété à l'idée d'être séparé de vous sont intimement liés. Maintenant qu'il est en mesure de se déplacer, il comprend à quel point il est facile d'être séparé de vous. Savoir que votre présence est aussi importante est sûrement flatteur, mais peut aussi vous irriter. Voici quelques conseils pour vous faciliter la tâche durant cette période.

Respectez-le: rappelez-vous que votre présence est encore essentielle à l'enfant et qu'il ne doit pas être triste à la pensée que vous n'êtes pas là.

Rassurez-le: tenez-le contre vous, parlez-lui, chantez-lui une chanson et une fois qu'il sera calmé, divertissez-le en lui donnant un livre ou un jouet. En réassurant l'enfant dès maintenant, il se sentira plus en sécurité ensuite.

Protégez-le: l'anxiété de la séparation et la peur de l'étranger vont souvent de pair. Lorsque des étrangers s'approchent trop de votre enfant, expliquez-leur qu'il n'est pas à l'aise avec des gens qu'il ne connaît pas et laissez-le se réfugier sur votre épaule. Ne le disputez pas parce qu'il est timide, car c'est tout à fait indépendant de sa volonté. Avec le temps, la plupart des bébés s'habitueront à la présence de nouvelles personnes qui sont amicales et douces dans leur approche. Dites-lui la vérité. Vous auriez envie de vous sauver par la porte arrière lorsque vous devez le laisser en compagnie d'une gardienne, mais cela ne serait pas bon pour l'enfant. S'il pense que vous disparaissez réellement soudainement, de temps à autre, il sera davantage porté à paniquer si vous quittez la chambre. Soyez souriant et clair lorsque vous annoncez votre départ, dites-lui que vous l'aimez, puis sortez. S'il s'aperçoit qu'il peut vous faire confiance et que vous allez vraiment revenir, il se sentira plus rassuré.

N'oubliez pas qu'il s'agit d'une phase temporaire, les bébés, les tout-petits et les enfants d'âge préscolaire vivent tous des périodes d'anxiété face à la séparation. Avec du réconfort, de l'amour et de l'encouragement, la plupart des enfants finissent par devenir suffisamment autonomes.

# RON RON MACARON

6 MOIS ET PLUS

## EXERCICE DE REDRESSEMENT

**V**OTRE BÉBÉ a probablement aimé se faire bercer et être maintenu sur vos genoux quand il n'avait que quelques mois. Maintenant qu'il a développé ses muscles, il sera plus motivé à se tenir debout sur ses propres pieds avec votre aide. Faites-en un exercice ludique en l'accompagnant d'un chant joyeux. Commencez en allongeant votre bébé sur le dos de façon à ce qu'il soit face à vous, jambes droites, puis aidez-le doucement à s'asseoir et à se redresser dans le cadre de cet exercice.

**IL SE TIENT DEBOUT,** apprend des mots et ce qui est encore mieux, c'est que vous vous regardez directement pendant le jeu.

### RON, RON MACARON

**Ron, ron macaron**
*Mettez vos bras autour de l'enfant et les siens autour de votre cou et répétez ce geste chaque fois que vous chantez Ron, ron macaron*
**tu t'éloignes de la maison**
*Éloignez vos mains de celles de l'enfant*
**Fais ceci, fais cela et donne-moi la main comme ça**
*Joignez vos mains à celles du bébé*
**Ron, ron macaron touche ton nez et ton menton**
*Touchez le nez et le menton de votre bébé*
**Fais ceci, fais cela et touche tes orteils comme ça**
*Remettre le bébé en position assise*
**Ron, ron macaron, tu t'élèves comme un avion**
*Relevez le bébé en position debout*
**Fais-ci, fais cela et vole et vole comme ça**
*Soulevez le bébé dans les airs*

| ✓ | **Mouvements globaux** |
| ✓ | **Développement du langage** |
| ✓ | **Force du bas du corps** |

**103**

# DES CHANSONS POUR LES PETITS AMIS

**L**ES ÉMISSIONS DE TÉLÉVISION et les vidéocassettes présentent de nombreuses chansons destinées aux jeunes enfants, mais ce sont souvent les chansons les plus anciennes qui ont le plus de charme, car ils permettent de tisser des liens entre les générations. Faites participer votre enfant en lui montrant les gestes des mains suggérés par les chansons et invitez toute la famille à prendre part au jeu.

## BRRR... IL FAIT FROID

**Claque, claque tes mains**
*Tapez dans vos mains*
**Elles ont chaud, elles sont bien**
**Frotte, frotte ton front**
*Faites le geste*
**Il rougit comme un lampion**
**tape, tape tes joues**
*Posez vos mains sur les joues de l'enfant*
**Mais pas comme un petit fou**
**Dring, dring ton nez**
*Pointez son nez du bout de votre index*
**C'est pour bien le réchauffer**
**Gratte, gratte ton menton**
*Chatouillez légèrement le menton
de votre bébé*
**Barbichette, barbichon.**

## IL PLEUT, IL MOUILLE

**Il pleut, il mouille,**
**C'est la fête à la grenouille,**
**Et quand il ne pleuvra plus,**
**Ce sera la fête à la tortue.**

## POMME DE REINETTE

**Pomme de reinette et pomme d'api,**
**D'api, d'api rouge,**
**Pomme de reinette et pomme d'api,**
**D'api, d'api gris.**

## J'AI UN GROS NEZ ROUGE

**J'ai un gros nez rouge,**
*Mimez avec une main*
**un chapeau qui bouge,**
*Mimez avec deux mains*
**deux grandes savates,**
*Mimez avec vos pieds*
**un grand pantalon,**
*Mimez le geste d'enfiler*
**et quand je me gratte...**
*Grattez-vous sous les bras*
**je saute au plafond !**
*Bondissez*

## POT-POURRI

**Bonhomme, bonhomme, sais-tu jouer (bis)**
**Sais-tu jouer de ce violon-là ?**
*Imitez quelqu'un qui joue du violon*
**Un oiseau sur une branche, il fait beau, c'est dimanche.**
*Imitez le mouvement d'un oiseau qui vole*
**Combien pour le p'tit chien dans la vitrine ?**
**Ce joli p'tit chien jaune et blanc.**
*Mettez vos paumes sur vos yeux*
**C'est la p'tite bébête qui monte, c'est la p'tite bébête qui monte sur ta tête.**
*Faites courir vos doigts du ventre du bébé jusqu'à son menton*

LES GENOUX DE MAMAN
constituent encore le meilleur
siège pour un bébé qui fait
l'audition de ses chansons préférées.

**LE VOICI ET HOP,** le voilà disparu… même une couverture et un jouet peuvent enseigner à de jeunes enfants des leçons importantes sur la permanence des objets tout en s'amusant.

**Voilà à peine quelques mois,** votre bébé faisait l'expérience des contractions, des tremblements et des mouvements buccaux amusants associés à ses nouveaux réflexes. Maintenant, il est capable de s'asseoir, de remuer ses jambes et de retirer une couverture sur son jouet en peluche. Que s'est-il passé? Ces premiers réflexes, comme la respiration et les battements de cœur ont pris naissance dans le tronc cérébral de votre bébé, qui avait déjà atteint sa pleine maturité quand celui-ci est né. Cependant, entre l'âge de quatre et sept mois, le cortex de l'enfant, responsable des actes moteurs se développe et permet la progression de la motricité.

# MAIS OÙ DONC EST PASSÉ LE JOUET ?

## UNE VARIATION DU JEU DE CACHE-CACHE

**Q**UAND IL N'ÉTAIT qu'un tout petit bébé, votre enfant était une créature du type «sans vision, sans esprit». Ainsi, si vous cachiez un jouet, il s'imaginait qu'il n'existait plus. Cependant, maintenant qu'il a atteint le seuil des six mois, il ne pense plus de la même façon. Bien qu'il ne sache pas exactement où le jouet est passé ou pourquoi il a disparu, il comprend qu'il existe toujours, quelque part, au moins pour un moment. Augmentez sa compréhension de cette vérité fondamentale en jouant à cache-cache en vous servant de quelques jouets.

• Cachez partiellement un livre ou un de ses jouets en peluche préférés sous les couvertures du bébé. Demandez-lui: «Où est-il? Où est-il donc passé?». Vous devrez probablement l'aider la première fois, mais quand il aura compris que le reste du jouet est associé à la partie qu'il voit, il plongera avec enthousiasme sous la couverture.

• Bientôt, vous pourrez cacher entièrement l'objet. Tant et aussi longtemps que votre bébé verra où vous cachez le jouet ou en apercevra les contours sous la couverture, il sera capable de le trouver.

## HABILETÉS

**Apprendre qu'un objet** existe même si il ne peut le voir aide votre bébé à comprendre la permanence des objets. Il s'agit là du facteur clé qui permettra à l'enfant de tolérer d'être séparé de vous ainsi que de se remémorer des gens ou des endroits qu'il a déjà vus, mais qui sont actuellement hors de sa vue. Cette habileté a pour nom «mémoire représentationnelle».

✔ **Habiletés motrices fines**

✔ **Permanence des objets**

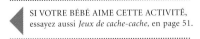

SI VOTRE BÉBÉ AIME CETTE ACTIVITÉ, essayez aussi *Jeux de cache-cache*, en page 51.

**107**

6 MOIS ET PLUS

# UNE ARMOIRE POUR BÉBÉ

## PREMIÈRES EXPLORATIONS

### HABILETÉS

**Des étagères remplies** de « jouets » invitants aide votre enfant à pratiquer sa technique de « conquête », soit son habileté à voir un objet, essayer de l'atteindre et s'en emparer. Le fait d'avoir à sa disposition différents objets à manipuler permet à votre bébé de se familiariser davantage avec les propriétés physiques comme la taille, la forme et le poids. Cela lui donne aussi l'occasion d'explorer et de découvrir par lui-même.

**M**AINTENANT QUE VOTRE BÉBÉ EST CAPABLE DE SE DÉPLACER, il est important que vous mettiez hors de sa portée tout objet cassant se trouvant dans une armoire, ainsi que les produits de nettoyage, les pots et les casseroles pesants ou autres objets qui pourraient le blesser. Toutefois, s'il vous voit sortir des objets de l'armoire, il voudra à coup sûr vous imiter, car saisir des objets et vider des tablettes et des armoires constituent des jeux très appréciés des bébés de cet âge. Pour que bébé demeure en sécurité et puisse satisfaire son envie d'explorer et d'imiter, réservez une armoire pour son usage exclusif. Une armoire déverrouillée remplie d'objets invitants et ne présentant aucun danger, par exemple des serviettes, des bols de plastique, des tasses à mesurer, des moules à muffin et quelques-uns de ses jouets favoris le tiendront occupé et vous donneront un peu de temps pour vous occuper de cuisiner, de faire la vaisselle ou même de lire le journal.

| Habiletés motrices fines | ✔ |
| Mouvements globaux | ✔ |
| Développement sensoriel | ✔ |
| Distinction visuelle | ✔ |

SI VOTRE BÉBÉ AIME CETTE ACTIVITÉ, essayez aussi *Le plaisir de vider un contenant*, en page 86.

**108**

BÉBÉ « TRAVAILLE » lui aussi dans la cuisine, mais sans toutefois causer de problèmes ni faire de dégâts.

**109**

# JE VAIS T'ATTRAPER

## UN JEU DE POURSUITE TRADITIONNEL

### HABILETÉS

**Voici un jeu** *qui se pratique à deux et qui éveillera sa conscience sociale et son sentiment de confiance. Avoir une raison de grimper lui permet aussi d'améliorer ses mouvements globaux.*

**P**ERSONNE NE SAIT VRAIMENT pourquoi les bébés aiment tant qu'on coure après eux et être surpris. Quoi qu'il en soit, même la plupart des trotteurs précoces semblent penser qu'être poursuivi par une personne qui prend soin d'eux et qu'ils apprécient est très amusant.

• Commencez à glisser lentement derrière votre bébé en murmurant : « Je vais t'attraper… J'vais t'attraper… J'vais t'attraper ! » Saisissez doucement l'enfant et dites-lui : « Je t'ai eu ! » Vous pouvez le soulever dans les airs, embrasser la naissance de son cou et chatouiller ses côtes, mais demeurez doux dans vos gestes afin de ne pas trop le surprendre, car après tout ce n'est encore qu'un bébé.

• Une bonne poursuite ne fait pas seulement la joie des enfants de cet âge, mais également de ceux qui ont commencé à marcher et le jeu progressera jusqu'à devenir un véritable jeu de cache-cache et de chat perché.

| | |
|---|---|
| **Équilibre** | ✔ |
| **Mouvements globaux** | ✔ |
| **Développement social** | ✔ |
| **Confiance** | ✔ |

**UNE POURSUITE EN DOUCEUR** indique à votre enfant que Maman peut être drôle et turbulente en plus d'être douce et calme. Ceci aide l'enfant à mieux comprendre l'éventail des comportements humains.

« Je t'ai attrapé ! »

## RAPPORT DE RECHERCHE

**Vous avez sans doute** remarqué qu'il n'était pas nécessaire d'instaurer un jeu de poursuite élaboré pour que votre bébé pousse des cris de plaisir. Ainsi, le seul fait de vous entendre grogner : « Je vais t'attraper » suffira à le faire glousser de plaisir, car à cet âge, sa mémoire est assez développée pour qu'il se souvienne de ce qui va suivre.

Cela veut-il dire qu'il se souviendra de votre étonnante performance à ce jeu de poursuite lorsqu'il sera adolescent ? Voilà qui est discutable. Pendant de nombreuses années, les chercheurs ont cru qu'il était impossible de se souvenir d'événements vécus avant qu'un enfant ait développé son langage. Toutefois, d'autres recherches plus récentes ont démontré que des enfants âgés d'un an et de deux ans sont capables de se souvenir d'événements qui se sont produits alors qu'ils étaient âgés d'un an, s'ils sont évoqués clairement. Cela veut dire que votre enfant continuera d'apprécier vos efforts précédents même une fois qu'il aura commencé à marcher, même s'il sera incapable de les verbaliser.

# LA BOUTEILLE ROULANTE

## LA CHASSE EST OUVERTE

### HABILETÉS

*Si votre bébé se lance à la poursuite de sa bouteille, il pratiquera ainsi ses randonnées à quatre pattes. S'il choisit de s'asseoir et de faire rouler la bouteille de l'avant à l'arrière, il exercera ses habiletés motrices fines de même que sa coordination œil-main.*

**I**L N'Y A RIEN D'ANORMAL à ce que votre enfant commence à se promener à quatre pattes plus tard que le bébé du voisin, car dans quelques années à peine, les deux enfants courront et grimperont allégrement. Toutefois, si vous désirez motiver un enfant qui tarde à se promener à quatre pattes ou qui ne semble pas très intéressé par la chose, un biberon rempli de fèves ou de graines peut s'avérer un formidable incitatif. N'emplissez le biberon que partiellement (de façon à ce que le contenu bouge) et faites-le rouler au sol en face de votre bébé. Assurez-vous que l'extrémité du biberon soit solidement fermée. Et s'il n'a aucune réaction ? Montrez-lui comment faire rouler le biberon de l'avant à l'arrière afin qu'il puisse s'amuser en position assise.

**VA LE CHERCHER !** Il adorera observer, écouter et poursuivre ces biberons roulants.

| | |
|---|---|
| **Coordination œil-main** | ✔ |
| **Habiletés motrices fines** | ✔ |
| **Mouvements globaux** | ✔ |

SI VOTRE BÉBÉ AIME CETTE ACTIVITÉ, essayez aussi *Jouer au ballon*, en page 90.

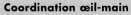

# QUEL CASSE-TÊTE !

## EN QUÊTE DU BON MORCEAU

**A**SSEMBLER UN CASSE-TÊTE est un exercice encore trop complexe pour votre bébé, mais il comprendra sans peine le concept simple de ces casse-tête en bois fabriqués pour des bébés un peu plus âgés et les enfants qui ont commencé à marcher. Ceux qui présentent des formes simples et de gros morceaux et qui sont munis de boutons sont particulièrement faciles, tout comme ceux qui comportent des images en dessous. Il y a un moyen de mettre ces grosses pièces à leur place de façon égale et vous devrez probablement lui indiquer comment faire afin qu'il puisse le faire de lui-même.

### HABILETÉS

**Jouer avec un casse-tête,** *même si ce n'est que pour le défaire, est un exercice formidable pour le développement des habiletés motrices fines et la relation spatiale d'un bébé. Le fait d'apprendre où les morceaux du casse-tête doivent être placés exerce aussi sa mémoire visuelle et sa compréhension des formes, des tailles et des couleurs.*

**DES MORCEAUX DE CASSE-TÊTE EN BOIS DE GRANDE DIMENSION** comportant des images de couleur sont agréables à l'œil et aident un bébé à se familiariser avec les formes et les dimensions.

| | |
|---|---|
| ✔ | **Habiletés motrices fines** |
| ✔ | **Résolution de problème** |
| ✔ | **Distinction : formes et dimensions** |
| ✔ | **Distinction visuelle** |

SI VOTRE BÉBÉ AIME CETTE ACTIVITÉ, essayez aussi *Ensemble de boîtes,* en page 134.

# À LA DÉCOUVERTE DU SON

## UN EXERCICE D'ÉCOUTE

### HABILETÉS

**Une écoute attentive** *représente une solide assise pour le développement du langage de votre enfant. Cela lui permet de localiser et de reconnaître les sons. Avec d'autres expériences et la répétition, il commencera à se construire un répertoire de langage réceptif.*

| | |
|---|---|
| Développement du langage | ✔ |
| Écoute | ✔ |
| Développement sensoriel | ✔ |
| Habiletés sociales | ✔ |

**I**L N'EST PAS NÉCESSAIRE DE CONSACRER TOUT VOTRE TEMPS avec votre enfant à parler, jouer, lire ou stimuler de quelque façon son esprit en éveil. Contentez-vous de vous asseoir et d'observer des choses courantes, car cela permet aussi de développer la conscience sensorielle et cognitive de votre bébé. Comme exercice d'écoute simple, nous vous conseillons de trouver un endroit où votre bébé pourra entendre différents sons. À l'intérieur, l'enfant entendra les ongles du chien résonner sur le plancher de la cuisine, le moteur du réfrigérateur, la sonnerie du téléphone ou le passage des autos. À l'extérieur, il entendra les oiseaux chanter, le bruissement des feuilles, un carillon éolien qui sonne ou le passage d'un avion. Attirez son attention vers le bruit; indiquez-lui d'où il provient et dites-lui ce qui le provoque. Vous pouvez lui permettre de participer au bruit en touchant le carillon éolien ou en lui montrant comment imiter des sons, comme par exemple le pépiement («tweet-tweet») d'un oiseau ou le vrombissement «vroum, vroum» du moteur d'une auto qui passe dans la rue.

SI VOTRE BÉBÉ AIME CETTE ACTIVITÉ, essayez aussi *En avant l'exploration* en page 118.

**LES SONS COURANTS** de la vie de tous les jours semblent de la musique aux oreilles d'un jeune enfant.

# VOYAGER AVEC BÉBÉ

**L** ORSQUE votre enfant aura atteint l'âge de neuf mois, vous aurez probablement établi un mode de vie domestique stable. Vous aurez alors des liens solides avec votre enfant, votre maison sera sécuritaire et vous saurez comment divertir votre bébé tout en lui assurant la sécurité.

Cependant, une fois que vous quitterez le confort du foyer, vous constaterez que la vie avec un bébé de cet âge n'est pas toujours une sinécure. Bien qu'un très jeune bébé soit porté à dormir durant les voyages en avion et les réunions de famille, un enfant un peu plus âgé a des désirs et des besoins différents et aura tendance à rouspéter.

Cela veut-il dire que vous devriez éviter de voyager avec votre bébé avant qu'il soit devenu adolescent? Pas du tout. Les familles ont besoin de prendre des vacances et la plupart des gens de votre parenté seront enchantés de vous accueillir. Il s'agit de prévoir les vacances les plus agréables possible et de se préparer advenant l'éventualité d'un problème.

Notez bien les habitudes de votre bébé: si vous planifiez votre voyage en tenant compte des heures approximatives auxquelles l'enfant fait ses siestes, vous vous éviterez l'anxiété de composer avec un bébé fatigué une fois rendu à destination. Tout au long du voyage, n'oubliez pas que plus votre bébé se reposera, plus votre famille s'amusera.

N'oubliez pas les articles qui lui tiennent à cœur: si votre bébé a un jouet en peluche ou une couverture confortable, n'oubliez pas de l'apporter. La présence d'objets familiers l'aidera à vivre plus facilement la transition vers un nouvel environnement.

N'oubliez pas sa nourriture: à l'hôtel ou dans la cuisine d'un ami, il ne sera peut-être pas possible de préparer le goûter favori de votre petit trésor. Faites provision de biscuits, de céréales sèches et de fruits et effectuez une épicerie rapide lorsque vous arriverez, de façon à avoir tout ce qu'il vous faut sous la main.

N'oubliez pas ces mesures de sécurité: vous n'arriverez pas à vous détendre si vous êtes inquiet pour sa sécurité. Apportez avec vous quelques bouchons de prises de courant et des loquets d'armoire.

N'oubliez pas vos propres besoins: voyager est fatigant, et ce même sans la présence d'un bébé. Essayez de manger sainement, de bien dormir et de faire de l'exercice. En demandant à quelqu'un de la famille de surveiller votre enfant ou en embauchant une gardienne jouissant d'une bonne réputation, vous disposerez d'un peu de temps pour vous-même.

# BIP ! BIP !

## L'EXPLORATION DU MOUVEMENT

**I**L EST QUELQUEFOIS difficile de savoir quel est le meilleur moment pour présenter certains jouets à l'enfant, car on ne sait pas quel niveau d'habileté l'enfant doit posséder afin d'être en mesure de s'en servir. Toutefois, même un enfant qui est encore trop jeune pour marcher peut utiliser un jouet à enfourcher, pourvu que ses jambes soient assez longues pour toucher au sol. Pour commencer, vous devrez le pousser un peu pour qu'il comprenne en quoi consiste le jeu. Dans peu de temps, il se donnera un élan de lui-même (bien qu'il commencera peut-être par reculer en premier, tout comme c'est le cas lorsqu'il a commencé à se promener à quatre pattes) et criera de plaisir en se déplaçant d'une pièce à une autre.

### HABILETÉS

**La majorité des bébés** *n'arrivent pas à utiliser leurs jambes en alternance avant l'âge de deux ans lorsqu'ils se servent d'un jouet à enfourcher. Toutefois, en se déplaçant d'eux-mêmes vers l'avant et l'arrière avec les deux pieds à la fois, ils s'habitueront à effectuer des mouvements globaux et développeront leur équilibre.*

**SON PREMIER JOUET À ENFOURCHER** lui fera découvrir les joies de se déplacer de lui-même et c'est aussi un excellent exercice !

| ✔ | **Équilibre** |
| ✔ | **Mouvements globaux** |
| ✔ | **Force du bas du corps** |

SI VOTRE BÉBÉ AIME CETTE ACTIVITÉ, essayez aussi *Tu me pousses, je te tire*, en page 140.

**117**

# EN AVANT L'EXPLORATION

## LA PREMIÈRE RANDONNNÉE DE BÉBÉ

### HABILETÉS

**Il est facile, en tant qu'adulte**
*de prendre notre environnement quotidien pour acquis, car nous le voyons et l'entendons chaque jour depuis des années. Cependant, pour un bébé, à peu près tout est nouveau et l'intrigue. Son cerveau est stimulé par de nouvelles visions et de nouveaux sons. En encourageant votre enfant à une exploration sensorielle du monde, même s'il est en toute sécurité dans vos bras, vous lui permettez de développer sa curiosité. Vos commentaires permettent aussi à l'enfant de développer son vocabulaire.*

À CET AGE, la curiosité de votre bébé est beaucoup plus grande que sa capacité d'explorer le vaste monde et ce même s'il marche déjà. Faites-lui faire un premier tour guidé en lui décrivant les environs.

• À l'intérieur de la maison, montrez-lui des peintures, des affiches, des livres, des boutons et des interrupteurs de lampe d'éclairage. Laissez-le manœuvrer l'interrupteur, tirer une serviette du porte-serviettes ou retirer une brosse à dents du porte-brosses à dents. Décrivez ce qu'il voit et touche, par exemple la texture d'une orange ou la douce serviette qu'il tient dans sa main.

• Faites une promenade à l'extérieur et laissez-le sentir l'écorce d'un arbre, les feuilles d'un arbuste ou la chaleur de la pierre exposée au soleil. Soulevez-le afin qu'il puisse faire la connaissance d'un chaton au bord d'une fenêtre ou pour sentir un pommier en fleurs.

• Ne vous surprenez pas si quelque chose de bizarre attire son attention. La plupart des enfants aiment les animaux, mais à cette étape de leur développement, ils manifestent également de l'intérêt pour des objets inanimés comme des charnières de porte, des boutons de stéréo et des boutons-poussoirs et sont fascinés par leur fonctionnement.

| | |
|---|---|
| **Coordination œil-main** | ✔ |
| **Écoute** | ✔ |
| **Développement sensoriel** | ✔ |
| **Développement visuel** | ✔ |

SI VOTRE BÉBÉ AIME CETTE ACTIVITÉ, essayez aussi *À la découverte du son*, en page 114.

**118**

**MONTREZ-LUI** divers objets comme cette plante, et décrivez-les afin de lui faire découvrir des textures, des mots et des concepts importants pour son développement.

9 MOIS ET PLUS

# UNE DÉCOUVERTE LUMINEUSE

## À LA POURSUITE DU FAISCEAU LUMINEUX

### HABILETÉS

**Que votre bébé** *se promène à quatre pattes ou qu'il marche, essayer d'attraper le faisceau lumineux de couleur améliorera sa coordination œil-main et son agilité. Les marcheurs qui pourchassent le faisceau lumineux perfectionnent leur équilibre et leurs capacités visuelles.*

| | |
|---|---|
| **Équilibre** | ✓ |
| **Coordination œil-main** | ✓ |
| **Mouvements globaux** | ✓ |

**U**NE MOBILITÉ ACCRUE permettra à votre bébé de se livrer à une toute nouvelle gamme de jeux impliquant les notions de poursuite et de saisie. Dans la majorité de ces jeux, vous pourchassez votre bébé, mais celui-ci peut également jouer le rôle du poursuivant si vous lui montrez comment « attraper » un faisceau lumineux. Enroulez un morceau d'essuie-tout autour de l'extrémité d'une lampe de poche, faites réfléchir la lumière de couleur sur le plancher, le mur et un meuble bas et encouragez votre bébé à l'attraper.

**SUIVRE LE FAISCEAU LUMINEUX** exige de la concentration et de la coordination.

# COURSE À OBSTACLES

## UNE POURSUITE MOUVEMENTÉE

**M**ARCHER SUR UNE SURFACE PLANE représente un défi et se promener à quatre pattes ou enjamber des objets en se tenant droit en sont d'autres. Il s'agit là d'habiletés importantes qui aideront l'enfant à se déplacer dans un bac de sable, à contourner les animaux domestiques ou à éviter de trébucher dans les racines d'un arbre dans la cour arrière. Apprenez à votre enfant à se déplacer autour d'objets se trouvant au sol en y plaçant une série de petits blocs, de boîtes et de jouets en peluche. S'il marche, tenez ses mains et aidez-le à enjamber ces objets. S'il se promène à quatre pattes, encouragez-le à contourner l'obstacle rencontré.

MAÎTRISER un défi apparemment simple comme celui d'enjamber des objets peut augmenter l'estime de soi et les habiletés de marche de votre enfant.

### HABILETÉS

**Que votre enfant** *se promène à quatre pattes ou se déplace de lui-même, ce jeu l'aidera à augmenter son équilibre. Il favorise aussi le développement de la coordination œil-pied, car il s'habitue à lever ses pieds et à les placer à un endroit sécuritaire.*

✔ **Équilibre**

✔ **Coordination œil-pied**

✔ **Mouvements globaux**

✔ **Force du bas du corps**

SI VOTRE BÉBÉ AIME CETTE ACTIVITÉ, essayez aussi *Monter et descendre les marches*, en page 143.

**121**

# MOI AUSSI, JE SUIS CAPABLE

## LE PLAISIR D'IMITER

### HABILETÉS

**Apprendre à placer** *un jouet en peluche dans une poussette, à manipuler un balai et comment remuer une cuillère en plastique aident votre enfant à acquérir une meilleure compréhension des relations spatiales et développe ses habiletés motrices fines. Pour lui, il est aussi très important d'imiter ce que font les enfants plus âgés et les adultes.*

| Habiletés motrices fines | ✔ |
| Habiletés sociales | ✔ |
| Relation spatiale | ✔ |

**À L'ÂGE DE NEUF MOIS,** votre enfant commencera probablement à vous imiter en donnant des coups au sol lorsque vous passerez le râteau dans le jardin ou en agitant une cuillère en bois au-dessus d'un bol lorsque vous faites la cuisine.

Encouragez-le à s'intéresser au monde des adultes en lui donnant des versions adaptées pour enfants d'outils comme des balais, des vadrouilles, des coffres à outils ainsi que des chariots et des poussettes miniatures. S'il marche, vous pourrez lui montrer comment promener son chien en peluche dans la poussette. Sa coordination ne sera sans doute pas très grande, mais il s'agira tout de même d'une initiation à des activités consistant à imiter les adultes, un processus qui lui permettra de progresser vers l'étape où il marchera et vers les années préscolaires.

**RIEN N'EST PLUS** tentant que d'imiter ce que fait le grand frère.

# XYLOPHONES EN FOLIE

## EN AVANT LA MUSIQUE

**L**ES EXPÉRIENCES musicales de votre bébé n'ont pas besoin d'être limitées à des hochets, des clochettes ou à des jouets mécaniques pour bébés. Un simple xylophone conçu pour les enfants de moins de trois ans (en vente dans les boutiques de jouets et d'instruments de musique) lui permettra de faire un peu d'impro, peu importe les notes qu'il en sortira. Cet exercice lui permettra également de partir à la découverte des gammes si vous lui faites remarquer la différence entre les notes aiguës et les notes graves, selon l'endroit où il frappe sur le xylophone. La batterie est l'instrument idéal pour permettre à un bébé d'explorer ses rythmes intérieurs.

### HABILETÉS

**Apprendre à écouter** *différentes notes et éventuellement à les associer à des touches différentes aide votre bébé à développer sa capacité d'écoute. L'acquisition des habiletés permettant de frapper les touches une à une contribue au développement de la coordination œil-main et des habiletés motrices fines. Le fait d'être capable de produire des sons musicaux rehausse aussi l'estime de soi de votre enfant.*

| | |
|---|---|
| ✔ | **Coordination œil-main** |
| ✔ | **Habiletés motrices fines** |
| ✔ | **Écoute** |

**VOTRE ENFANT DÉCOUVRIRA** avec joie que les différentes touches d'un xylophone produisent des sons différents.

SI VOTRE BÉBÉ AIME CETTE ACTIVITÉ, essayez aussi *Musiciens en herbe*, en page 92.

**123**

# BÉBÉ SE PRATIQUE À REMPLIR UN CONTENANT

## LE PLAISIR DE REMPLIR

### HABILETÉS

**Lorsque votre bébé** *était plus jeune, il n'avait pas la coordination nécessaire pour manipuler des objets, alors qu'il est désormais capable non seulement de soulever des objets, mais aussi de les incliner et de les tordre. Ce jeu lui permettra d'utiliser ses mains pour développer ses habiletés motrices fines et de pratiquer sa coordination œil-main.*

**S**I VIDER ET REMPLIR un contenant est amusant, vider le contenu d'un récipient dans un autre l'est doublement. Il s'agit aussi d'un jeu qui demande peu de préparation. Vous n'avez qu'à rassembler des tasses, des bols et des chaudières en plastique ainsi que des cuillères et des petites pelles. Ajoutez soit de l'eau (dans une petite cuve ou dans la baignoire), du sable (dans le bac) ou de la semoule de maïs (à la table de cuisine ou à servir à bébé sur sa chaise haute). Montrez à l'enfant comment remplir la tasse, la cuillère, la pelle ou le bol avec l'une des substances. Regardez-le s'amuser à fouiller dans le sable ou la semoule de maïs avec ses doigts ou à lancer l'eau, découvrant les textures et l'interaction entre ces divers objets. Montrez-lui ensuite comment verser le sable, la semoule de maïs ou l'eau et en un rien de temps, il saura comment remplir un contenant, puis le vider dans un autre.

**Coordination œil-main** ✔

**Habiletés motrices fines** ✔

SI VOTRE BÉBÉ AIME CETTE ACTIVITÉ, essayez aussi *Jouer dans le sable*, en page 192.

« Et voilà ! »

**UN FILET DE SABLE** est fascinant à observer et initie les enfants à des concepts tels que : vide, plein, rapide et lent.

# CHANSONS D'ANIMAUX

**À** CET ÂGE, la plupart des bébés commencent à remarquer les bruits produits par les animaux et la manière dont ils se déplacent. Présenter à un enfant de cet âge des chansons avec des sons d'animaux amusants est donc une bonne idée. Votre bébé sera intrigué par les mots et les mélodies, qui feront éventuellement partie de son répertoire régulier.

## RON, RON, RON

**Ron, ron, ron, la queue d'un cochon,
ris, ris, ris, la queue d'une souris,
rat, rat, rat, la queue d'un gros rat.**

**VOTRE BÉBÉ ADORERA** interagir avec des marionnettes représentant des animaux pendant que vous chantez des chansons d'animaux.

## QUI A TIRÉ LA QUEUE DU CHIEN ?

Qui a tiré la queue du chien ?
C'est le lutin numéro 1.
Qui a perdu mon bonnet bleu ?
C'est le lutin numéro 2.
Qui a mangé les chocolats ?
C'est le lutin numéro 3.
Mais les trois lutins ont juré
que c'était moi.

## À LA FERME DE MATHURIN

À la ferme de Mathurin,
i aï i aï o,
Y a des tas, des tas d'canards,
i aï i aï o,
Et des couac, couac ci et des couac
couac là,
Couac ici, couac par là,
On n'entend que couac couac,
À la ferme Mathurin,
i aï i aï o.

*Continuez la chanson en ajoutant
d'autres animaux ainsi que les sons
qu'ils produisent.*

## IL ÉTAIT UNE BERGÈRE

Il était une bergère,
Et ron et ron petit patapon,
Il était une bergère,
Qui gardait ses moutons,
Ron, ron,
Qui gardait ses moutons.

# LIVRE D'ACTIVITÉS

## CHOSES À VOIR ET À FAIRE

### HABILETÉS

**Un livre comportant des cartes** *pliantes, des textures à toucher et des images à observer aide votre enfant à développer ses habiletés motrices fines. Votre narration pendant qu'il regarde le livre : « Voici le chaton », « C'est doux » ou « Peux-tu ouvrir ceci ? » lui permet d'apprendre de nouveaux mots et des concepts.*

**T**OURNE-T-IL les pages des livres, joue-t-il avec les étiquettes des vêtements et retire-t-il les cravates du porte-cravates ? Vous pouvez faire appel à son instinct de bricoleur en lui achetant un livre d'activités ou en fabriquer un à partir de différents objets se trouvant dans la maison. Rassemblez quelques images à regarder (provenant de revues ou des cartes postales), des textures à toucher (des boules de coton, de la fausse fourrure, du velours côtelé, une feuille d'étain ondulée ou un film à bulles d'air), des rubans à tirer et de vieilles cartes pliantes. Fixez-les solidement avec de la colle sur des morceaux de carton et reliez le tout avec de petits morceaux de ruban.

**DES HABILITÉS COMME LA DEXTÉRITÉ MANUELLE,** la mémoire des mots et les aptitudes sociales sont toutes mises à contribution lorsque deux personnes (le bébé et un enfant plus âgé ou un adulte) participent à ce jeu.

| Contrôle de la motricité fine | ✔ |
| --- | --- |
| Développement du langage | ✔ |
| Stimulation tactile | ✔ |

◀ SI VOTRE BÉBÉ AIME CETTE ACTIVITÉ, essayez aussi *Visages amis*, en page 56.

# LE PLAISIR DE FAIRE
# TOMBER DES OBJETS

## ENTREPRENEURS EN HERBE

**A**U FUR ET À MESURE que les bébés plus âgés gagnent en coordination des mains et des bras, ils prennent un malin plaisir à empiler des objets. Encouragez-le à développer son talent naissant en construisant des tours formées de gros blocs, de livres, de boîtes de céréales, de boîtes de souliers ou de bols et de tasses en plastique pour votre bébé. N'oubliez pas qu'il y a deux étapes amusantes pour votre enfant : vous regarder empiler les objets, puis les jeter par terre de lui-même.

## HABILETÉS

**S'amuser avec des tours** *de jouets aide les bébés à développer à la fois leurs mouvements globaux et leurs habiletés motrices fines. Votre enfant aura également l'occasion d'explorer la relation spatiale et les différences de grandeurs et de formes.*

**FAIRE TOMBER** la tour n'est qu'une partie de l'expérience, car il se familiarisera aussi avec les grandeurs et les formes.

| ✔ | **Habiletés motrices fines** |
| ✔ | **Mouvements globaux** |
| ✔ | **Distinction : grandeurs et formes** |

SI VOTRE BÉBÉ AIME CETTE ACTIVITÉ, essayez aussi *Ensemble de boîtes*, en page 134.

**129**

**LES COULEURS VIVES,**
des anneaux faciles à manipuler et quelques problèmes
faciles à solutionner font en
sorte que les bébés aiment
jouer souvent à empiler
des anneaux.

« Allez, fais-en une bonne pile ! »

# ANNEAUX EMPILABLES

9 MOIS ET PLUS

## INITIATION AUX DIMENSIONS

**C**ERTAINS JOUETS sont indémodables. Les bons vieux anneaux empilables aiguisent la curiosité des bébés d'aujourd'hui comme c'était le cas pour ceux d'il y a quelques générations. Vous pouvez acheter des ensembles en bois ou en plastique ou les fabriquer vous-même. Un ensemble formé de volumineux anneaux en plastique constitue généralement la meilleure option. Les bébés plus âgés dont la motricité fine est plus développée peuvent utiliser des ensembles comprenant des poteaux plus petits.

• Commencez en montrant à votre bébé comment retirer les anneaux, ce qui est beaucoup plus facile que de les insérer dans le poteau. Ne soyez pas surpris s'il se contente de prendre le jouet, de le tourner à l'endroit et à l'envers et lance les anneaux partout sur le plancher, car ne s'agit-il pas de la solution la plus évidente au problème ?

• Ce n'est que plus tard, au cours de sa deuxième année d'existence, qu'il apprendra à empiler les anneaux en ordre de grandeur, soit le plus grand en dessous et le plus petit au sommet. En attendant, laissez-le se pratiquer à installer et à retirer les anneaux dans n'importe quel ordre.

### Fabriquez-les vous-même

Vous n'arrivez pas à trouver des anneaux empilables préfabriqués ? Retirez simplement le tube de carton d'un rouleau d'essuie-tout et quelques anneaux de bocaux à conserves ou découpez des anneaux à même un morceau de carton et montrez à votre bébé comment les faire glisser à l'intérieur et à l'extérieur du poteau.

## HABILETÉS

**Découvrir comment** *retirer les anneaux de couleur, même si c'est en les jetant tous par terre d'un coup, aide votre enfant à développer ses aptitudes à résoudre un problème. De plus, apprendre à placer les anneaux par-dessus le poteau contribue au développement de ses habiletés motrices fines et à la compréhension du concept de grandeur.*

✔ **Coordination œil-main**

✔ **Habiletés motrices fines**

✔ **Résolution de problème**

✔ **Distinction : grandeurs et formes**

SI VOTRE BÉBÉ AIME CETTE ACTIVITÉ, essayez aussi *Le plaisir de faire tomber des objets*, en page 129.

**131**

# LE COMPORTEMENT DANS LES LIEUX PUBLICS

**VOTRE BÉBÉ** ne sera pas toujours en train de sourire ou de gazouiller en public, car même l'enfant le plus heureux est susceptible d'avoir des sautes d'humeur et ce n'est pas tout le monde qui réagit bien face à un enfant capricieux. D'une manière ou d'une autre, vous aurez à vous déplacer dans des endroits publics avec votre enfant, ne serait-ce que pour un voyage éclair au bureau de poste. Vous vous faciliterez l'existence en apprenant le plus rapidement possible à composer avec les sautes d'humeur potentielles de votre enfant.

La prévoyance est toujours de mise : la meilleure façon de vous retrouver avec un bébé frustré et pleurnichard, c'est de vous déplacer d'un endroit à un autre lorsqu'il est fatigué, a faim ou est malade. La solution ? Ne pas le faire. Essayez de ne pas éterniser les courses et faites-le lorsque votre enfant est reposé et a bien mangé. N'oubliez pas d'apporter une provision de livres et de jeux avec lesquels il pourra jouer si jamais vous vous trouvez pris dans une file d'attente ou un bouchon de circulation.

Préservez votre intimité : même les mères qui se sentent parfaitement à l'aise d'allaiter leur nouveau-né en public peuvent éprouver une certaine timidité à l'idée d'allaiter un bébé de onze mois dans un centre commercial, surtout si cet enfant marche et a commencé à parler. Des étrangers pourraient vous regarder d'une drôle de manière parce que vous continuez d'allaiter un bébé de cet âge. Si cette situation vous incommode et que vous devez donner le sein dans un endroit public, essayez de trouver un coin privé où vous et votre bébé pourrez être seuls et passer quelque temps ensemble.

Protégez-vous contre les agressions verbales : des remarques brutales concernant votre enfant pourraient s'avérer blessantes. La meilleure attitude consiste à réagir de façon positive et avec tact. Si vous êtes à l'épicerie et qu'une personne vous dit que votre enfant est gros ou qu'il prend votre garçon pour une fille, répondez-lui le plus naturellement du monde : « Oui, n'est-ce pas un beau gros garçon ? »

Un des aspects importants dans le fait de composer avec des situations embarrassantes survenant en public, c'est que votre réaction servira de modèle comportemental à votre enfant. Bien que votre bébé soit encore trop jeune pour dire : « S'il-te-plaît, ne me touche pas » ou « Ma graisse de bébé disparaîtra avec le temps », il est quand même capable de percevoir la façon dont vous composez avec des conflits potentiels.

Demeurez calme, naturel, et votre attitude la portera à agir de la même façon.

# OH ! OH !

## INITIATION AUX NOTIONS DE CAUSE À EFFET

**C**'EST UN FAIT que la majorité des bébés plus âgés adorent lancer des choses lorsqu'ils sont installés dans un endroit surélevé, par exemple leur chaise haute, les genoux de grand-maman, etc. Les adultes peuvent transformer cette habitude en un jeu amusant consistant à lancer des objets. Placez des tasses de plastique, des hochets, de gros blocs ou de petits jouets en peluche sur le plateau de la chaise haute. Asseyez-vous par terre près de la chaise haute et demandez à l'enfant de vous lancer des objets ou des jouets avec sa main. Pour plus de plaisir, chantez « Oh, oh » ou « Ça s'en vient » ou parlez de la façon dont les jouets se déplacent de haut en bas.

### HABILETÉS

**Laisser tomber** *des choses et observer leur chute aide un bébé à se familiariser avec les notions de cause et d'effet. À cette étape de son développement, le bébé ne fait que commencer à comprendre que ses gestes ont des conséquences sur ce qui arrive aux autres, une révélation qu'il mettra à l'épreuve de plus en plus avec l'âge et qui favorisera son développement mental et social.*

| | |
|---|---|
| ✔ | **Cause et effet** |
| ✔ | **Coordination œil-main** |
| ✔ | **Saisir et relâcher** |
| ✔ | **Développement social** |

**TRANSFORMEZ** sa propension naturelle à lancer des objets en un jeu amusant et éducatif.

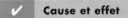

**133**

# ENSEMBLE DE BOÎTES

## OUVRIR, FERMER, REMPLIR ET VIDER

### HABILETÉS

**Une boîte et un couvercle** *repré-sentent une sorte de casse-tête élé-mentaire pour un bébé, car il doit essayer de trouver comment retirer le couvercle (plutôt facile) et com-ment le remettre (moins évident). Cet exercice requiert de la coordi-nation et une compréhension des formes et des grandeurs. Ce jeu lui fait également découvrir des concepts comme : ouvert, fermé, plein, vide, à l'intérieur et à l'extérieur.*

| | |
|---|---|
| **Habiletés motrices fines** | ✔ |
| **Résolution de problème** | ✔ |
| **Distinction : grandeurs et formes** | ✔ |
| **Relation spatiale** | ✔ |

NE BOÎTE D'ESSUIE-TOUT, un sac de len-tilles et même le bol de spaghettis laissé sur la tablette du bas du réfrigérateur ; toutes ces choses fascinent désormais votre bébé. Il voudra examiner tout ce qu'il voit. Vous pouvez le garder occupé en assemblant un ensemble de boîtes munies de couvercles faciles à manipuler (comme des boîtes à souliers, des contenants vides de toile gaufrée et des boîtes-cadeaux carrées) et en plaçant des objets et des jouets de petite taille dans chacune d'entre elles.

• Essayez de toujours mettre les mêmes jouets dans les mêmes boîtes à chaque fois que vous jouez.

• Répétez les mots « ouvert » et « fermé » pendant qu'il joue avec les boîtes, de même que des mots comme « à l'intérieur » et « à l'extérieur » pendant qu'il s'amuse avec les jouets.

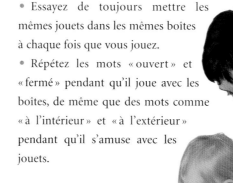

**LES BOÎTES VIDES** sont amusantes à ouvrir et à fermer et les boîtes remplies d'objets sont mystérieuses et excitantes à découvrir.

# LAISSER TOMBER UNE BALLE

9
MOIS ET PLUS

## UN EXERCICE POUR L'ŒIL ET LA MAIN

**L**ES BALLES, LES BOLS et à peu près n'importe quoi qui cogne sont extrêmement populaires chez les bébés un peu plus âgés. Comment arriverez-vous à combiner tous ces éléments en une seule séance de jeu? Procurez à votre enfant quelques balles légères (comme des balles en plastique ou des balles de tennis) et un gros bol en métal ou un panier en plastique. Montrez à votre enfant comment laisser tomber les balles dans le contenant. Lorsqu'ils cognent contre le fond, les balles émettent chacune un son différent et intéressant. Votre bébé sera fasciné par cette activité simple qui augmentera sa compréhension des notions de cause et d'effet.

**LAISSER TOMBER UNE BALLE** dans un grand bol produit un bruit important et améliore sa coordination œil-main.

### HABILETÉS

**Attraper une balle** *devient une seconde nature lorsque l'enfant a environ six mois. Relâcher un objet comme s'il tombait est plus difficile à apprendre et lancer de façon intentionnelle est une habileté que l'enfant développera ultérieurement. Ce jeu permet à votre enfant de pratiquer ces deux habiletés tout en aiguisant sa coordination œil-main.*

| | |
|---|---|
| ✓ | **Coordination œil-main** |
| ✓ | **Habiletés motrices fines** |
| ✓ | **Saisir et relâcher** |

 SI VOTRE BÉBÉ AIME CETTE ACTIVITÉ, essayez aussi *Oh! Oh!* en page 133.

**135**

# TUNNEL POUR BÉBÉ

## DES ENDROITS À EXPLORER

### HABILETÉS

**Se promener** *dans des espaces restreints permet à votre bébé de constater à quel point son corps est gros en comparaison d'autres objets, ce qui favorise le développement de sa relation avec l'espace et la conscience de son corps. Ce jeu lui permet aussi de développer ses capacités visuelles comme la perception de la profondeur et l'aide à augmenter son estime de soi pendant qu'il manœuvre à l'intérieur du tunnel sans bénéficier d'une vision périphérique.*

| | |
|---|---|
| **Conscience du corps** | ✔ |
| **Mouvements globaux** | ✔ |
| **Relation spatiale** | ✔ |

SI VOTRE BÉBÉ AIME CETTE ACTIVITÉ, essayez aussi *Course à obstacles*, en page 121.

**V**OUS ÊTES VOUS DÉJÀ DEMANDÉ POURQUOI votre bébé est si porté à se tortiller sous le lit, à se coincer derrière le canapé ou à se mettre en chien de fusil sur le plancher du placard? Les enfants de cet âge sont naturellement attirés par l'espace, particulièrement lorsque cet espace correspond à leur taille. Répondez à cet engouement en achetant un tunnel de fabrication commerciale ou fabriquez-en un en carton pour que le bébé puisse s'y promener. Faites rouler une balle à l'intérieur du tunnel et encouragez-le à la récupérer. Vous pouvez aussi vous installer à l'autre extrémité du tunnel et lui faire signe de venir vous rejoindre ou y placer de petits jouets comme des balles lestées ou des animaux en peluche.

**IL SE FAMILIARISE** avec les espaces restreints et apprécie les plaisirs de la découverte lorsqu'il se promène dans un tunnel pour bébé.

**136**

## RAPPORT DE RECHERCHE

**Pendant longtemps, les éducateurs** ont cru que les enfants présentaient des styles d'apprentissage distincts ou des préférences pour assimiler de l'information nouvelle. Certains enfants ont besoin d'explorer physiquement pour comprendre, alors que d'autres n'ont besoin que de voir ou d'entendre. Aujourd'hui, certains chercheurs croient que même les bébés ont de telles préférences, à preuve leur tendance à observer, à écouter ou à jouer avec certains jouets avec beaucoup d'intérêt. Comme les bébés ont besoin de développer tous leurs sens, il est conseillé aux parents de continuer à offrir à leurs bébés des environnements stimulants à explorer.

**137**

# CHANTE UNE CHANSON SUR MOI

**V**OTRE PETIT TRÉSOR n'est pas encore capable de prononcer les mots « bouche », « nez », « pied » ou « orteils », mais il a probablement déjà commencé à associer vos paroles aux parties de son corps. Vous pourrez améliorer son langage en croissance en lui apprenant ces chansons sur le corps. Remuez légèrement ses bras et ses jambes et utilisez vos mains et vos doigts pour indiquer les différentes parties de son corps.

## FAIS UN BEAU GÂTEAU

*Sur l'air de : J'ai un beau château*

**Fais un beau gâteau, ô boulanger, ô boulanger,**
*Tapez des mains ensemble*

**Fais un beau gâteau, fais-le vite et fais-le beau,**
*Tapez des mains*

**Fais-le bien sucré,**
*Tapez d'un doigt sur la paume de l'autre main*

**Et marque-le d'un gros B,**
*Tracez un B imaginaire sur la paume de la main*

**Et mets-le au four pour moi et mon p'tit bébé.**
*Faites semblant de glisser un gâteau dans un four*

## LE P'TIT RENNE AU NEZ ROUGE

**On l'appelait Nez rouge,**
*Donnez un petit coup avec votre index sur votre nez*

**Ah, comme il était mignon,**
*Pointez le nez du bébé*

**Le p'tit renne au nez rouge, rouge comme un lumignon.**
*Pointez votre nez*

**Son p'tit nez faisait rire, chacun s'en moquait beaucoup,**
*Faites semblant de renifler votre paume*

**On allait jusqu'à dire
Qu'il aimait prendre un p'tit coup.**
*Donner un petit coup avec votre index sur le nez du bébé*

**138**

## TAPE TAPE TAPE

 **Tape, tape, tape**
*Tapez dans ses mains*

**Pique, pique, pique**
*Pointez l'index dans la paume de votre main*
**Roule, roule, roule**
*Faite un mouvement circulaire avec les deux mains*
**Cache, cache, cache**
*Placez les mains devant votre visage et retirez-les en disant COUCOU !*

## FAIRE DE LA GYMNASTIQUE

**Faire de la gymnastique, c'est pratique et c'est comique,**
*Tenez vous debout avec l'enfant et bercez-la de gauche à droite et vice-versa*
**J'aime te regarder marcher avec tes petits pieds.**
*Balancez l'enfant de l'avant à l'arrière*
**Faire de la gymnastique et marcher, c'est pratique et c'est comique, mic, mic.**
*Marchez vers l'avant avec l'enfant*

LES YEUX, LE NEZ, LES DOIGTS et les orteils - votre bébé se régalera d'entendre les chansons de maman sur les parties de son corps.

• JOUER DANS LE BAIN • JEUX PENDANT LE CHANGEMENT DE LA COUCHE • MUSIQUE ET MOUVEMENT • ACTIVITÉS PHYSIQUES • PLAISIR TACTILE •

9 MOIS ET PLUS®

# TU ME POUSSES, JE TE TIRE

## EXERCICE DE MARCHE

### HABILETÉS

**Le soutien procuré** *par un objet qu'il peut pousser permet à votre bébé de s'exercer à marcher sans avoir à s'appuyer sur un meuble ou les mains de sa gardienne. Il doit se servir de ce qu'il a appris sur le travail effectué par ses muscles et ses articulations sur la gravité afin de demeurer en position verticale lorsqu'il avance. Cette marche, combinée à l'exercice de poussée l'aide à développer son équilibre et ses mouvements globaux.*

| | |
|---|:---:|
| **Équilibre** | ✔ |
| **Mouvements globaux** | ✔ |
| **Force du bas du corps** | ✔ |

**S**I VOTRE BÉBÉ marche ou ne fait que commencer à trottiner, il appréciera le soutien que procure un objet de grande taille qu'il pourra pousser au sol comme une poussette, une chaise d'enfant ou un jouet en peluche commercial.

Un panier à linge rempli de ses jouets représente aussi un appui utile à la marche. Pour commencer, vous pourrez l'aider en tirant à partir de l'autre extrémité, mais attention… il sera bientôt capable de le faire de lui-même.

**140**

**UN OBJET QUI PEUT ÊTRE DÉPLACÉ** et qui est environ de la taille de votre bébé, lui procure un soutien tout en lui donnant l'impression de marcher de lui-même.

« Regarde moi cette belle grande fille qui trotte ! »

• JOUER DANS LE BAIN • JEUX PENDANT LE CHANGEMENT DE LA COUCHE • MUSIQUE ET MOUVEMENT • ACTIVITÉS PHYSIQUES • PLAISIR TACTILE •

# IMITATEURS EN HERBE

## LE PLAISIR D'IMITER LES AUTRES

**FAIS COMME MOI**

 sur l'air de « **Ah, vous dirais-je, maman** »

**Tape, tape dans tes mains,
Dans tes mains, dans tes mains,
Tape, tape dans tes mains,
Et fais comme moi.**

**Bouge ta tête de gauche à droite,
Gauche à droite, gauche à droite,
Bouge ta tête de gauche à droite,
Et fais comme moi.**

**MITER** des gens plus âgés, qu'il s'agisse de membres de la famille, des parents ou des voisins est une source importante d'apprentissage pour les bébés plus âgés. Transformez en jeu ce don inné pour l'imitation en vous donnant un coup sur le genou ou sur le plateau d'une chaise haute, en mettant vos mains sur vos yeux, en ouvrant grande votre bouche ou en bougeant votre tête d'un côté à l'autre en chantant une chanson naïve. Il apprendra de nouveaux mots sur son corps et ses gestes et découvrira le plaisir du jeu interactif.

**PRODUIRE DE NOUVEAUX SONS** tout en faisant des mouvements avec les bras et les doigts aide votre enfant à développer sa mémoire auditive et son rythme.

| Conscience du corps |  |
|---|---|
| Développement du langage | ✔ |

9 MOIS ET PLUS

# MONTER ET DESCENDRE LES MARCHES

**L**ORSQUE VOTRE BÉBÉ sera capable de se promener à quatre pattes au sol, il voudra essayer de grimper les escaliers. Si monter est simple, descendre est plus ardu. Plutôt que de l'empêcher de se promener dans les escaliers, apprenez à votre bébé comment descendre de façon sécuritaire en lui montrant à se tourner sur le ventre en avançant les pieds en premier et à atteindre les marches avec ses pieds. Pour commencer, il est important de diriger l'enfant. Utilisez des termes descriptifs comme « tourne toi » ou « le pied en premier » chaque fois que votre enfant approche des marches. Ne le laissez pas grimper les marches de l'escalier tout seul.

### HABILETÉS

**Apprendre à poser** *ses pieds dans un espace qu'il ne peut voir, puis à trouver un appui solide pour ses pieds est très utile dans la familiarisation de l'enfant avec les notions de relation spatiale et d'équilibre. S'exercer à monter et à descendre des marches permet à votre bébé de développer un meilleur sens de la hauteur et de la profondeur, ce qui le rendra plus prudent dans ses explorations futures des hauteurs.*

✓ **Équilibre**

✓ **Mouvements globaux**

✓ **Force du bas du corps**

✓ **Relation spatiale**

#### APPRENDRE À MONTER

et à descendre les marches d'un escalier de façon sécuritaire est amusant et représente une habileté fondamentale pour tous les enfants qui essaient d'apprendre à marcher.

**143**

# DES OBJECTIFS D'APPRENTISSAGE DANS UN CONTEXTE LUDIQUE

**Q**u'ils affichent de larges sourires ou une intensité inégalable, les tout-petits sont étonnants à regarder quand ils jouent. La concentration avec laquelle ils examinent et zut… défont parfois, chaque nouvel objet. L'enthousiasme qu'ils mettent dans leurs efforts et leur exultation devant chaque nouvelle habileté acquise démontrent que pour un jeune enfant, le jeu est une affaire sérieuse ! C'est par l'intermédiaire du jeu que

**UNE SUCCESSION DE BULLES FLOTTANTES** est une vision empreinte de magie et une éclatante démonstration de la notion de cause et d'effet.

ces jeunes explorateurs découvrent leur monde, les autres et eux-mêmes en testant leurs capacités et en allant au-delà de leurs limites, qu'il s'agisse de réussir à construire un château de sable ou de leurs premières expériences d'interaction sociale.

Ces premières années présentent aux parents de formidables occasions de faire éclore le potentiel de leur enfant. Le cerveau d'un jeune enfant est comme une page blanche ou une toile prête à accueillir tous les mots et toutes les couleurs. Il est fortement influencé par son environnement et ce qu'il vit ou ne vit pas, actuellement. Ce qui aura des répercussions tout au long de son existence. À première vue, il s'agit d'un défi de taille, mais pour lequel vous disposerez néanmoins d'atouts précieux, notamment le fait que les enfants ont une capacité d'apprentissage exceptionnelle. De plus, les parents ont cette faculté innée d'apporter à leurs enfants les stimulations dont ils ont besoin et comme le jeu représente pour les enfants une source inépuisable d'enrichissement, ce défi devrait s'avérer aussi passionnant pour le parent que pour l'enfant.

## LES BIENFAITS DU JEU

Vu que le jeu est une activité naturelle chez les enfants et semble uniquement orienté vers le plaisir, il arrive qu'on sous-estime les nombreux bienfaits du jeu sur le développement émotionnel, physique et intellectuel de l'enfant.

LA COORDI-NATION et le rythme deviendront inséparables une fois qu'elle aura saisi le rythme d'un morceau entraînant.

Par l'intermédiaire du jeu, un jeune enfant acquiert de nombreuses habiletés essentielles comme la façon de communiquer, de compter et de résoudre des problèmes. Il aiguise ses mouvements globaux en lançant des balles ou en grimpant à l'échelle d'une glissoire et polit ses habiletés motrices fines en peignant avec des brosses ou en dessinant avec des crayons. Il fait montre d'une imagination débordante lorsqu'il fait semblant de tenir une conversation au moyen d'un téléphone-jouet ou s'affuble de toute une série de chapeaux ridicules devant un miroir. Ses capacités langagières s'améliorent en écoutant raconter des histoires et il désire communiquer ses goûts et ses préférences. Ses premières rencontres sociales avec des camarades de jeu, des membres de la famille, ses parents ou d'autres adultes lui enseignent comment se comporter avec les autres et respecter les règles et les limites.

Le fait de participer à diverses activités ludiques lui apprend à se concentrer et à persévérer.

Le jeu représente aussi pour vous un indicateur précieux quant à la personnalité de votre enfant. En jouant avec lui ou en le regardant jouer avec d'autres enfants, vous verrez comment il réagit face aux obstacles, aux échecs et aux réussites. Au fil du temps, vous verrez émerger son sens de l'humour particulier et se développer ses habiletés sociales.

Sa façon de jouer traduit ses émotions, ses aptitudes et les modes d'apprentissage qu'il préfère, c'est-à-dire, s'il réagit positivement à des directives verbales ou à des images, ou s'il retient mieux l'information, suite à des expériences pratiques.

UN PETIT COUPLET devient une pièce musicale exceptionnelle lorsque maman est de la partie.

Le jeu représente pour vous une occasion en or d'établir de solides liens affectifs avec votre tout-petit. Lorsqu'il est tranquille, le bercer et regarder des livres d'images ou construire une tour avec des blocs crée une atmosphère d'intimité et de tranquillité. Quand il est plus turbulent, une partie de cache-cache ou lancer des balles lestées permet de communiquer à l'enfant l'idée que les parents ne sont pas là uniquement pour prendre soin d'eux et leur donner de l'affection, mais qu'ils sont aussi d'amusants compagnons de jeu.

Lorsque vous lui permettez d'acquérir de nouvelles habiletés et que vous le félicitez de ses efforts, vous lui démontrez que vous êtes toujours là pour l'appuyer et favoriser ses progrès. De plus, d'innombrables études ont prouvé que les enfants apprenaient mieux lorsqu'ils évoluaient dans un environnement où ils reçoivent de l'affection et des compliments.

QUELQUES BALLES DE CAOUTCHOUC suffisent à enseigner à un jeune enfant une foule de choses concernant la distance, les grandeurs et les formes.

BOUGER AU RYTME DE LA MUSIQUE permet aux tout-petits (et aux mamans aussi) de se défouler.

Devenir le partenaire de jeu enthousiaste de votre petit trésor vous permet de mille et une façons de créer entre vous deux un lien privilégié qui durera toute la vie.

## DIFFÉRENTES FAÇONS DE JOUER

Ce livre est conçu pour vous aider à faire des premières années d'existence de votre enfant, une période heureuse en lui offrant une multitude d'activités et de jeux des plus diversifiés à partager en votre compagnie. Vous y trouverez des jeux entraînants faisant appel à la participation vocale, des projets artistiques, des jeux pour le bain, des jeux avec des accessoires comme des couvertures, des boîtes et des blocs, ainsi que de nombreuses autres suggestions créatives. Il existe différentes façons d'initier votre enfant aux joies de la musique, de favoriser sa coordination et son développement musculaire et d'augmenter son vocabulaire. Cette large gamme d'activités touche à tous les aspects importants des capacités physiques, mentales, sociales et émotionnelles d'un enfant et chacune d'entre elles a été soigneusement conçue et choisie en fonction de sa pertinence sur le plan du développement. Certaines de ces activités sont traditionnelles, d'autres sont des créations de Gymboree, mais toutes favorisent un type de relation basé sur une interaction enrichissante et affective, propre à stimuler l'apprentissage d'un jeune enfant et à forger un lien durable entre le parent et l'enfant.

Bien que le jeu et l'apprentissage soient indissociablement liés, l'objectif principal de ces activités n'est pas de soumettre votre enfant à une série d'exercices rigides. Jouer avec son tout-petit met l'accent d'abord et avant tout sur la notion de plaisir et d'activités reliées au développement de l'enfant en fonction de son âge. Toutes les activités proposées visent à procurer de solides assises pour tous les apprentissages éventuels. En d'autres mots, elles aident votre enfant à apprendre comment apprendre.

## PLACE AU JEU !

Loin d'être rigides, les directives accompagnant les activités visent à les encadrer tout en laissant le maximum de liberté aux parents, afin qu'ils puissent les adapter au tempérament et aux intérêts particuliers de leur enfant. Mettez le jeu en branle, puis laissez votre enfant donner la tournure qui lui plaît à l'activité. Vous l'encouragerez ainsi à faire preuve d'initiative, à résoudre des problèmes, à exercer sa créativité, à

cultiver l'estime de soi et à acquérir de l'autonomie.

La mise en place d'un environnement approprié et sécuritaire contribue également au sentiment d'autonomie de l'enfant et à le stimuler. Nous vous suggérons de tapisser les murs de sa chambre de miroirs incassables et d'affiches colorées et de transformer le plafond en ciel étoilé ou en univers sous-marin au moyen d'autocollants phosphorescents. Disposez des jouets, des livres et du matériel d'artiste

ALLEZ-Y D'UN BRIN DE FOLIE – aucune chanson n'est trop ridicule pour votre bambin ricaneur, alors lâchez votre fou !

sur des bibliothèques ou des tables basses et placez régulièrement des articles différents en offrant à votre enfant un système de classement et de tri simple. Installez un panier à linge à portée de votre tout-petit ainsi que des supports afin qu'il puisse suspendre ses vêtements. Il est important de ne pas accumuler une panoplie de jouets dispendieux et compliqués, car des articles conventionnels comme des casse-tête, des bulles, des marionnettes, des blocs, des couvercles et des balles demeurent toujours aussi appréciés et invitants pour les jeunes enfants.

Une fois que vous vous serez familiarisé avec « Jouer avec votre tout-petit », n'hésitez pas à répéter souvent les activités préférées de votre enfant, car les enfants apprennent énormément grâce à la répétition. Cela leur permet de mettre à l'essai et de perfectionner ce qu'ils ont appris et leur procurent un sentiment d'accomplissement (voir page 176 pour plus d'information sur l'importance de la répétition). Ne vous faites pas de mauvais sang si votre enfant ne semble pas se comporter conformément à sa catégorie d'âge, s'il a des problèmes à tenir un ballon de plage ou à passer le ballon ou si au contraire, il mémorise rapidement chacune des chansons et des jeux avec les doigts expliqués et illustrés dans ce livre.

N'oubliez pas que chaque enfant se développe à son propre rythme et à sa façon (voir page 160 pour plus d'information au sujet des différences sur le plan du développement). Les catégories d'âge ne tiennent lieu que de directives générales et ce livre contient de nombreuses activités susceptibles de convenir aux goûts particuliers de chaque enfant.

Allez de l'avant, mettez votre costume d'enfant, réchauffez vos cordes vocales et préparez-vous à pénétrer dans l'univers de votre tout-petit et à lui ouvrir toutes grandes les portes de la connaissance en essayant les activités proposées dans les pages qui suivent. Elles vous permettront d'offrir à votre enfant un environnement plus enrichissant et stimulant et vous procureront d'heureux souvenir en tant que premier camarade de jeu de votre bout de chou.

LES JEUX AVEC LES DOIGTS
permettront à votre petite araignée préférée d'exercer à la fois ses habiletés vocales et ses habiletés motrices fines.

*Les activités proposées dans ce livre sont regroupées de façon chronologique en périodes de six mois correspondant aux étapes importantes du développement de l'enfant. Les catégories d'âges ne servent que d'indicateurs, car il existe d'importantes différences quant au niveau de développement d'un enfant à l'autre.*

## 12 MOIS ET PLUS

Qu'ils se promènent à quatre pattes, trottinent ou marchent, les enfants âgés d'un an profitent d'une nouvelle mobilité, qui s'accompagne d'une curiosité insatiable. Leurs habiletés motrices fines sont suffisamment développées pour leur permettre de ramasser de petits objets et d'empiler quelques blocs. Ils aiment écouter la voix de leurs parents, que ce soit pour leur raconter une histoire ou leur apprendre une chanson. Ils comprennent également plusieurs mots et obéissent à des directives simples. Certains enfants de cet âge commencent même à dire quelques mots.

## 18 MOIS ET PLUS

Les enfants de cet âge ont le goût d'explorer, de manipuler, de goûter et de remuer à peu près tout ce qui se trouve à leur portée. Leurs mouvements globaux en constante progression leur permettent de marcher, de courir et de grimper et leurs habiletés motrices fines, de manger avec une cuillère et de lancer une balle. Ils apprécient les jeux qui font appel à leur sensibilité tactile et démontrent leur intérêt pour la musique en se balançant. Leur vocabulaire compte en moyenne un peu plus d'une dizaine de mots et ils peuvent généralement formuler des phrases simples consistant en deux ou trois mots.

## 24 MOIS ET PLUS

L'enfant a maintenant acquis une force, une souplesse et un équilibre supérieurs. Il est en mesure de dévisser le couvercle d'un pot et d'accomplir d'autres tâches qui font appel à ses habiletés motrices fines. Son enthousiasme pour la musique ne se dément pas et il commence à se servir de son imagination. La plupart des jeunes enfants de cet âge apprécient la compagnie de leurs semblables, mais ont tendance à jouer à côté d'eux plutôt qu'avec eux. Leur vocabulaire comprend vraisemblablement plus de deux cents mots et ils sont capables de former des phrases simples.

## 30 MOIS ET PLUS

À cet âge, les enfants apprécient particulièrement les activités qui leur permettent de perfectionner leurs habiletés physiques : la course, le saut, les promenades en tricycle ou le simple fait d'attraper un ballon. Ils continuent de parfaire leurs habiletés motrices fines en tenant un crayon ou en peignant. Ils peuvent se concentrer plus longtemps et manifestent une passion pour des activités de classement et de triage. Leurs capacités langagières s'accroissent considérablement et ils commencent à saisir des notions d'abstraction, ce qui enrichit leur répertoire de jeux imaginaires.

# LANCE LE BALLON

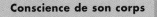

INITIATION AU JEU DE BALLON

## HABILETÉS

**Apprendre à faire rouler** *ou même à arrêter une balle aide les tout-petits à perfectionner leurs mouvements globaux et à développer la coordination œil-main (ou œil-pied, selon le cas). Cela contribue également à développer le sens de la synchronisation, car l'enfant tentera d'évaluer combien de temps il faudra pour que le ballon parvienne jusqu'à lui.*

| Conscience de son corps | ✔ |
| Coordination | ✔ |
| Mouvements globaux | ✔ |

SI VOTRE ENFANT AIME CETTE ACTIVITÉ, essayez aussi *Du plaisir à plein tube*, en page 218.

**R**ARES SONT LES tout-petits capables d'attraper un ballon, car il faut une bonne dose de coordination pour y parvenir, mais la plupart aiment pousser, frapper du pied et saisir cet objet invitant. Pour initier votre enfant à une partie de ballon, choisissez un endroit plat et gazonné à l'extérieur ou un endroit où il y a suffisamment d'espace à l'intérieur et asseyez-vous à quelques centimètres de lui. Faites rouler le ballon doucement en direction du petit, puis encouragez-le à le faire rouler ensuite dans votre direction. Au fur et à mesure de sa progression à ce jeu, asseyez-vous de plus en plus loin de lui et essayez de faire rebondir légèrement le ballon entre vous deux.

**LE BALLON DOIT AVOIR ENVIRON LA MÊME GROSSEUR** que la tête de votre enfant afin qu'il ne soit ni trop encombrant ni trop petit pour être manipulé.

**152**

**12 MOIS ET PLUS · 1**

# UN ORCHESTRE DE DOIGTS

## CHANSON AVEC INSTRUMENTS IMAGINAIRES

**IL N'EST JAMAIS TROP TÔT** pour donner des leçons de musique à votre enfant, surtout lorsque les instruments sont imaginaires. Vous n'aurez pas à vous inquiéter du fait que votre enfant n'a jamais entendu une clarinette ou vu un trombone, il vous observera avec intérêt et imitera les gestes de vos mains, quels qu'ils soient. Faites des gestes précis et énergiques. Au début, s'il n'est pas capable de vous imiter, faites bouger ses doigts. Une fois qu'il aura gagné en coordination et sera capable de vous imiter, soulevez et abaissez vos jambes pendant que vous chantez et jouez. Essayez d'alterner en chantant doucement, puis plus fort et faites-lui remarquer la différence.

RÉSERVEZ UNE PLACE SUR VOS GENOUX À VOTRE PETITE MAJORETTE, et initiez-la à votre orchestre de doigts avant de mettre la parade en marche.

 *sur l'air de* **« Bonhomme ! Bonhomme ! »**

*Tenez vos doigts en l'air et remuez-les pendant le premier couplet, puis imitez les instruments avec vos doigts durant les couplets suivants.*

**Bonhomme, bonhomme, sais-tu jouer ?** *(répétez)*
**Sais-tu jouer de ce violon-là ?** *(répétez)*
**Zing, zing de ce violon-là,** *(répétez)*
**Bonhomme !**
**Tu n'es pas maître dans ta maison quand nous y sommes.**
**Bonhomme, bonhomme, sais-tu jouer ?** *(répétez)*
**Sais-tu jouer de cette flûte-là ?** *(répétez)*
**Flût, flût de cette flûte-là,**
**Zing, zing de ce violon-là,**
**Bonhomme !**
**Tu n'es pas maître dans ta maison quand nous y sommes.**
*Continuez la chanson en ajoutant des instruments comme un tambour, un piano, une guitare, etc.*

✓ **Coordination œil-main**
✓ **Développement du langage**
✓ **Capacité d'écoute**

**153**

# PARACHUTISTES EN HERBE

## DÉVELOPPER SON ÉQUILIBRE EN S'AMUSANT

### HABILETÉS

**Jouer au parachute** *permet d'accroître l'équilibre de votre enfant, une acquisition précieuse qui lui donnera plus d'autonomie, car cette habileté prépare à la marche, à la course et à d'autres activités physiques plus complexes comme le saut à la corde ou même la culbute. Les parachutes sont également des objets intéressants en raison de leur surface glissante et de leurs couleurs vives. Nommez les couleurs pendant que vous jouez afin que votre enfant apprenne à bien les identifier.*

| | |
|---|---|
| **Équilibre** | ✔ |
| **Stimulation tactile** | ✔ |
| **Distinction visuelle** | ✔ |

**V**OTRE TOUT-PETIT exultera lorsque vous lui offrirez un périlleux tour de parachute, tout en vous assurant de sa sécurité pendant qu'il essaiera de conserver son équilibre en mouvement. Asseyez-le ou allongez-le sur un tapis, un parachute miniature, une couverture ou un drap aux couleurs vives, puis doucement et graduellement, tirez-le en prenant soin d'éviter les meubles et les surfaces pointues pendant votre promenade.

• Demandez à un autre adulte de vous aider à tenir la couverture ou le parachute au-dessus de la tête de votre enfant. Si ce dernier peut se tenir facilement, mettez son équilibre à l'épreuve en soulevant et en abaissant légèrement le parachute pendant qu'il est en dessous et en contemple les couleurs ou les motifs. Allez-y doucement, car même un parachute léger peut faire perdre l'équilibre précaire d'un jeune enfant.

QUI A BESOIN D'UN TAPIS MAGIQUE ?
Voyager grâce aux bons soins de papa sur un parachute, un drap ou une couverture aux couleurs vives, est un véritable enchantement pour un tout-petit.

154

• Marchez en rond en tenant la couverture ou le parachute au-dessus de la tête de votre enfant en chantant « Tout autour » (voir page 234 pour les paroles des rondes) ou une autre chanson de circonstance que votre enfant apprécie. À la fin de la chanson, laissez le parachute descendre au sol avec l'enfant en-dessous. Cette activité est particulièrement amusante lorsque plusieurs enfants y participent.

SI VOTRE ENFANT AIME CETTE ACTIVITÉ, essayez aussi *Danse et halte*, en page 165.

# ÉCLATEMENT DE BULLES ET DE JOIE

## LA CHASSE AUX BULLES EST OUVERTE!

### HABILETÉS

**Pourchasser, attraper** *et faire éclater des bulles favorisent la coordination œil-main, la stimulation sensorielle, la conscience du corps et les mouvements globaux. Si votre fillette essaie de faire éclater des bulles d'elle-même, elle se familiarisera avec la notion de cause et d'effet. Votre chasseuse de bulles découvrira également qu'en touchant cet objet qui lui semble solide, celui-ci éclatera, ce qui lui donnera sa première leçon de physique.*

| | |
|---|---|
| **Coordination œil-main** | ✔ |
| **Mouvements globaux** | ✔ |
| **Développement du langage** | ✔ |
| **Stimulation tactile** | ✔ |

### FAITES VOS PROPRES BULLES

Pour confectionner la solution savonneuse, mélangez 1 tasse d'eau, 1 cuillère à thé de glycérine (en vente dans la plupart des pharmacies) et 2 cuillères à table de détergent à vaisselle. Confectionnez-vous des pipes à partir de cure-pipes, d'attaches de sac en plastique et même de tasses en plastique dont vous aurez pris soin de découper le centre.

**S**'IL EXISTE UNE ÉQUATION MAGIQUE pour faire entrer en transe un enfant d'une douzaine de mois, c'est bien la combinaison d'une simple solution savonneuse et d'un lance-bulles. Souffler, pourchasser et faire éclater des bulles favorisent le mouvement, stimulent la coordination œil-main et introduisent votre enfant à des concepts comme grand et petit ou haut et bas. Utilisez différents types et formats de lance-bulles. Ne vous étonnez pas si votre enfant raffole de cette activité au point où le mot bulle devient l'un de ses mots préférés.

• Servez-vous d'un gros tube ou lance-bulles pour fabriquer d'énormes bulles et encouragez-la à les traquer et à les faire éclater, puis recommencez avec un tube plus petit. Soufflez avec force lorsque vous désirez créer une averse de petites bulles et tout doucement pour produire une grosse bulle. Envoyez les bulles très haut ou très bas en disant « haut » ou « bas » en les regardant prendre leur envol.

• Allez à l'extérieur avec votre enfant et faites des bulles. Expliquez-lui que le vent qui fait bruire les feuilles et agite ses cheveux emporte aussi les bulles au loin. Incitez votre chasseuse de bulles à les faire éclater avec ses doigts ou à les écraser avec ses pieds. Reculez en soufflant dans le lance-bulles pour que l'enfant soit obligé de courir après vous pour attraper les bulles.

**UNE AVERSE DE BULLES** fascinera votre fillette et la poursuite folle qu'elle entreprendra pour faire éclater les bulles lui permettra d'exercer sa coordination et ses mouvements globaux.

# TAPE DANS TES MAINS

## CHANTER EN MOUVEMENT

### HABILETÉS

**Apprendre les mots** *correspondant aux différentes parties du corps et à contrôler les mains, les bras et les pieds représente tout un contrat pour un enfant de cet âge. Même si votre enfant a déjà commencé à indiquer les parties de son corps lorsque vous les nommez, cette chanson lui permettra de se pratiquer à bouger et à identifier individuellement ses mains, ses pieds, ses bras et ses lèvres.*

| | |
|---|---|
| **Conscience de son corps** | ✔ |
| **Mouvements globaux** | ✔ |
| **Capacités d'écoute** | ✔ |
| **Habiletés sociales** | ✔ |

SI VOTRE ENFANT AIME CETTE ACTIVITÉ, essayez aussi *Fais comme moi*, en page 181.

**S**UR L'AIR DE *Ah, vous dirai-je maman,* invitez votre fillette à associer mots et mouvements en modifiant à votre gré la chanson dont les paroles sont indiquées à la page suivante. Les mots « tape, tape, tape » encouragent votre fillette à taper dans ses mains et à bouger son corps en suivant les paroles. L'association des mots et des gestes avec une mélodie permettront d'augmenter sa compréhension du rythme, car elle le ressentira et l'imitera avec son propre corps.

• Comme les jeunes enfants sont avides d'apprendre les mots identifiant les parties du corps, assurez-vous d'insister sur les mots « mains », « bras » et « bouche » en prenant soin de bien les articuler ou en chantant plus fort. Pour commencer, faites des mouvements exagérés afin de bien représenter la signification des mots.

• Cet exercice permet de multiples variations et vous pourrez demander à votre fillette de se taper sur les genoux, de remuer les hanches ou de faire un signe de la tête.

• Une fois qu'elle aura bien appris la chanson, faites quelques erreurs volontaires, par exemple : tapez dans vos mains lorsqu'il faut taper du pied au sol et regardez-la s'esclaffer. Vous aurez l'agréable surprise de constater que votre fille a déjà le sens de l'humour.

**VOTRE ENFANT ADORERA** vous imiter quand elle vous verra taper des mains et frapper le sol du pied en pratiquant ce jeu musical fort simple.

**158**

 sur l'air de **« Ah, vous dirai-je maman »**

**Trois petits coups**

**Trois petits coups dans les mains,
Et tu sauras le refrain.**
*Tapez trois fois dans vos mains*
**Tape, tape, tape dans tes mains,
Tape, tape, tape dans tes mains,
Frappe ensemble tes petites mains,
Pour bien suivre le refrain.**

**Trois petits coups sur le sol,
Frappe de ton pied comme une
folle.**
*Prenez le pied de la fillette et frappez
trois coups au sol*
**Frappe, frappe, frappe de ton pied,
Frappe, frappe, frappe de ton pied,
Prends ton pied et frappe au sol,
Frappe, frappe, frappe et fais ta
folle.**

**Serre-moi dans tes petits bras,
Serre-moi fort, serre-moi comme ça,**
*Étreignez-vous*

**Serre-moi dans tes petits bras,
Serre-moi fort, serre-moi comme ça
Prends tes petits bras et serre,
Serre ton papa et ta mère.**

**Prends ta bouche et embrasse moi,
Bécot, bécot, bécote-moi,**
*Avancez les lèvres*
**Bécot ci, bécot là,
Un bécot par ci, par là,
Un bécot c'est important,
À Papa et à Maman.**

**Prends ta main et fais un signe,
Pour partir, c'est la consigne,**
*Faites un salut de la main*
**Bye, bye, bye,
Bye, bye, bye.
Prends ta main et fais bye, bye,
Prends ta main et fais bye, bye.**

**159**

# À LEUR PROPRE RYTHME

LES BÉBÉS COMMENCENT À S'ASSEOIR à l'âge de six mois, émettent leur premier « dada » à neuf mois, commencent à ramper à sept mois et à marcher à un an. Lorsque les parents sont confrontés aux calendriers rigides de certains livres sur la puériculture, quant aux phases de développement, ils sont souvent emballés lorsque leur enfant franchit une étape avant le temps prévu et paniquent lorsqu'il accuse un peu de retard. Bien que des pédiatres aient utilisé ces calendriers comme s'ils étaient infaillibles, la plupart des praticiens actuels reconnaissent qu'il existe une gamme d'étapes de développement beaucoup plus étendue chez un enfant parfaitement sain.

Ainsi, un enfant peut commencer à se rouler par terre entre l'âge de deux et six mois. Il en va de même pour ce qui est de parler, à partir d'un an, et une étoile de football pourrait faire ses premiers pas à huit mois comme à dix-huit mois. Bien que la majorité des enfants suivent généralement la séquence de développement usuelle, certains sauteront complètement une étape et n'apprendront jamais à se promener à quatre pattes, mais commenceront plutôt à marcher dès que leur tonus musculaire et leur coordination leur permettront de le faire.

Toutes ces étapes de développement font partie d'un processus de maturation neural et musculaire complexe, influencé par des facteurs génétiques et contextuels. Ainsi, un enfant est susceptible de commencer à marcher tard si plusieurs des membres de sa famille ont commencé à marcher tard. Il arrive souvent qu'un enfant soit en retard dans une phase de son développement et en avance dans une autre. Il est possible qu'exceptionnellement, un retard dans le développement soit la conséquence de problèmes importants, mais dans la majorité des cas, il s'agit tout simplement d'enfants qui progressent à leur propre rythme. Dans son ouvrage *Your Child's Growing Mind*, la psychoéducatrice Jane Healy souligne : « un enfant légèrement en retard dans son développement est sur la même voie que les autres et si son train circule à une vitesse inférieure, il n'en atteindra pas moins la même destination ».

# LA PETITE ARAIGNÉE

## UNE CHANSON AVEC LES DOIGTS

**D**ANS CETTE CHANSON, vous pouvez décrire les efforts de la petite araignée en faisant des gestes amusants avec les mains. En répétant la chanson et les mouvements, non seulement vous divertirez votre enfant, mais vous stimulerez également ses capacités auditives et langagières. Pour rendre l'activité plus interactive, vous pouvez faire semblant que l'araignée se promène sur le ventre de votre fillette, « faire tomber » la pluie sur ses petites épaules et lui faire croiser les bras au-dessus de sa tête pour représenter le soleil. Lorsqu'elle aura maîtrisé l'activité, essayez de chanter la chanson et de lui faire exécuter les mouvements des doigts. Un bon matin, elle vous surprendra en y allant d'un solo.

**LA PETITE ARAIGNÉE**

**La petite araignée**
**Monte à la gouttière.**
*Remuez vos doigts vers le haut comme si l'araignée grimpait*
**Tiens, voilà la pluie.**
**L'araignée Gipsy tombe par terre.**
*Remuez vos doigts vers le sol pour imiter la pluie*
**Mais le soleil a chassé la pluie.**
*Formez un cercle avec vos doigts autour de votre tête*
**L'araignée Gipsy**
**Remonte à la gouttière.**
*Remuez vos doigts vers le haut comme si l'araignée grimpait.*

✔ **Habiletés motrices fines**

✔ **Capacité d'écoute**

✔ **Stimulation tactile**

IMITER LES EFFORTS de la petite araignée contribuera non seulement à développer les capacités auditives et langagières de votre enfant, mais également ses habiletés motrices fines.

**161**

# LE SENTIER DES OREILLERS

## PREMIERS PAS SUR UN SENTIER COUSSINÉ

### HABILETÉS

**Le mouvement et l'exploration**
*sont d'une importance capitale pour un petit enfant et toute occasion de bouger dans un environnement captivant est accueillie avec joie. Cette activité représente également un excellent moyen pour votre enfant de développer son habileté motrice en mettant à contribution plusieurs groupes musculaires et favorise son équilibre et sa coordination, alors qu'il se voit confronté à des obstacles physiques qu'il doit surmonter.*

| | |
|---|---|
| **Équilibre** | ✔ |
| **Conscience de son corps** | ✔ |
| **Coordination œil-pied** | ✔ |
| **Mouvements globaux** | ✔ |

**A** MÉNAGEZ UN SENTIER simple et sécuritaire rempli d'obstacles en disposant des oreillers et des coussins par terre dans votre salle de séjour. Ce chemin devra former un trajet en zigzag autour de la pièce.

• Encouragez votre enfant à faire le trajet au complet en se promenant à quatre pattes ou en marchant. Ce trajet sera cahoteux et les bosses seront au rendez-vous. Au début, vous devrez tenir la main de votre enfant, même s'il marche déjà, mais une fois qu'il aura gagné en stabilité, vous pourrez lui permettre de faire quelques pas de lui-même sur les oreillers. Restez toujours près de l'enfant au cas où il tomberait et retirez ses souliers et ses bas afin d'augmenter son équilibre.

• Variez la hauteur du sentier en empilant plus ou moins d'oreillers. Vous pouvez rendre le trajet plus difficile en le faisant passer sous une table pour que l'enfant soit obligé de passer en-dessous à quatre pattes ou en disposant les oreillers pour qu'il ait à contourner un canapé, des chaises rembourrées ou des lits.

• Utilisez des coussins et des oreillers de grandeurs, de couleurs et de textures différentes afin de maintenir l'intérêt tout au long du parcours. Ne soyez pas surpris si votre petit athlète s'arrête à l'occasion pour tâter les obstacles avec ses mains ou ses pieds. Laissez-le satisfaire sa curiosité et encouragez-le gentiment à continuer.

SI VOTRE ENFANT AIME CETTE ACTIVITÉ, essayez aussi *Parachutistes en herbe*, en page 154.

## RAPPORT DE RECHERCHE

**L'écart prononcé** de la période s'échelonnant entre l'âge de sept à dix-huit mois à laquelle l'enfant commence à marcher, traduit la complexité de cette action qui nous semble si facile. Ce processus permettant à un enfant d'exécuter ses premiers pas, fait appel tant à l'esprit qu'au corps et il faut un certain temps pour que les cellules nerveuses fonctionnent avec régularité et permettent un mouvement volontaire et contrôlé. Un enfant peut également développer suffisamment de tonus musculaire au niveau de ses jambes et perfectionner son sens de l'équilibre et sa coordination, des habiletés que les tout-petits acquièrent à des niveaux différents.

IL EST SUR LA BONNE VOIE pour marcher lorsqu'il emprunte un sentier formé de coussins avec la complicité de papa.

# CHAPEAU!

## SÉANCE D'ESSAI DE CHAPEAUX

### HABILETÉS

**Parler à votre tout-petit** *des chapeaux que vous portez lui permet de connaître de nouveaux mots qui feront éventuellement partie de son vocabulaire. De plus, vous voir affublée de différents chapeaux enseigne à votre enfant, que peu importe votre allure ou votre tenue vestimentaire, vous demeurez toujours sa maman. Lorsqu'il sera un peu plus âgé, il commencera à se déguiser en utilisant des chapeaux, un jeu qui favorise le développement de la créativité.*

| | |
|---|---|
| **Développement de la notion de concept** | ✔ |
| **Développement du langage** | ✔ |
| **Habiletés sociales** | ✔ |

**VOTRE ENFANT SERA EMERVEILLÉ** par l'originalité de votre coiffure et sourira lorsque vous le nommerez chef des pompiers, surtout si vous imitez différents sons, tels la sirène ou un chant amérindien, selon le couvre-chef que vous aurez choisi.

**V**OTRE BOUT DE CHOU ARBORERA UN LARGE SOURIRE en vous voyant coiffée d'une casquette de baseball à l'envers, mais il sera encore plus excité quand vous lui ferez essayer toutes sortes de chapeaux. Procurez-vous quelques chapeaux amusants dans des magasins d'aubaines ou en fouillant dans le grenier et faites-en l'essai devant un miroir, question de bien rigoler avec votre enfant. Vous tiendrez aussi une excellente occasion d'améliorer son vocabulaire en utilisant différents adjectifs pour décrire les chapeaux («Ce grand chapeau est rouge.» ou «Ces plumes sont douces».).

• Quand votre enfant approchera l'âge de deux ans, il sera capable de changer de personnalité selon les différents chapeaux qu'il se mettra sur la tête.

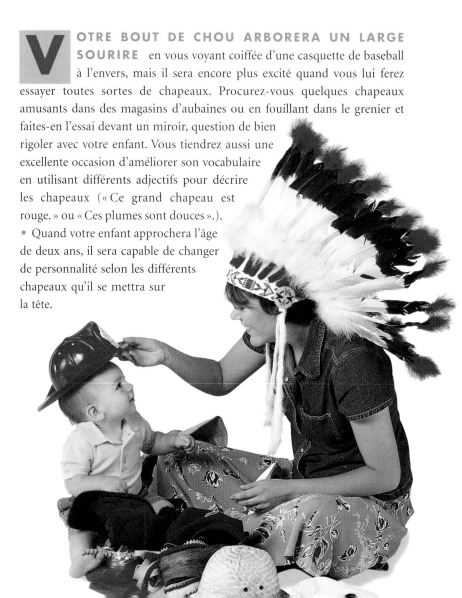

# DANSE ET HALTE

12 MOIS ET PLUS 1

## DU PLAISIR EN MUSIQUE AVEC DES PAUSES

**F**AITES JOUER UNE CASSETTE OU UN DISQUE **COMPACT** ou enregistrez votre propre cassette en y laissant des silences et confiez à un ami le soin de contrôler le volume pendant que vous invitez votre ballerine en herbe à faire quelques pas de danse en votre compagnie. Tenez-la dans vos bras et lorsque la musique commencera, faites des mouvements de danse exagérés en balançant l'enfant de gauche à droite et en la faisant « plonger » à l'occasion. Lorsque la musique s'arrêtera, retenez votre posture et recommencez à danser lorsque la musique reprendra. Cessez de bouger chaque fois qu'elle s'arrêtera. Les enfants les plus âgés seront capables de danser et d'arrêter sans votre aide, mais la majorité se contenteront de cesser de bouger quand vous les étreindrez.

## HABILETÉS

**En se baladant entre vos bras** *pendant une séance de danse, votre enfant se familiarise avec le rythme musical, ce qui représente un premier pas important quant aux habiletés langagières et musicales. Lorsque vous interrompez votre mouvement, elle apprend à se maintenir en équilibre dans vos bras. En faisant jouer de la musique et en l'interrompant soudainement, vous faites plaisir à votre enfant en lui procurant une surprise et vous favorisez du même coup le développement de ses capacités d'écoute.*

✔ **Équilibre**

✔ **Capacité d'écoute**

✔ **Habiletés sociales**

CHA-CHA-CHA… bouger au rythme de la musique est un moyen infaillible de divertir votre enfant, surtout lorsque vous la surprenez en arrêtant subitement au beau milieu d'une séquence endiablée.

**165**

# DES CLASSIQUES

**C**ERTAINES CHANSONS résistent au passage du temps et après avoir charmé plusieurs générations, les parents et les grands-parents ont ainsi l'occasion de partager leurs chansons préférées avec de jeunes enfants. Toutefois, ces classiques peuvent être remis au goût du jour de façon surprenante et vous avez toute latitude pour modifier les paroles d'une chanson comme « Ah vous dirai-je maman » (voir page 167). N'ayez pas peur du ridicule et allez-y d'une improvisation de votre cru !

**VOTRE PETIT SERA AUX ANGES** si vous chantez et mimez la chanson classique «Maman les p'tits bateaux» et vous avez le choix d'y apporter toutes les variations que vous désirez.

## MAMAN LES P'TITS BATEAUX

**Maman les p'tits bateaux**
*Pointez-vous du doigt (dites « Papa les petits bateaux... » si vous êtes un papa)*
**Qui vont sur l'eau,**
**Ont-ils des jambes ?**
*Bougez vos doigts pout imiter le mouvement des jambes*
**Mais oui, mon gros bêta**
**S'ils en avaient pas, ils ne marcheraient pas !**
*Faite le signe de négation (de gauche à droite) avec votre doigt.*

## ALOUETTE

 sur l'air de « Alouette »

**Alouette, gentille alouette**
**Alouette, je te plumerai**

**Je te plumerai la tête** *(répétez)*
**Et la tête** *(répétez)* **Alouette** *(répétez)*
*(REFRAIN)*

**Je te plumerai le bec** *(répétez)*
**Et le bec** *(répétez)* **Alouette** *(répétez)*
*(REFRAIN)*

**Je te plumerai le dos** *(répétez)*
**Et le dos** *(répétez)* **Alouette** *(répétez)*
*(REFRAIN)*

**Je te plumerai les ailes** *(répétez)*
**Et les ailes** *(répétez)* **Alouette** *(répétez)*
*(REFRAIN)*

**Je te plumerai les pattes** *(répétez)*
**Et les pattes** *(répétez)* **Alouette** *(répétez)*
*(REFRAIN)*

**Je te plumerai toute entière** *(répétez)*
**Et le bec** *(répétez)*
**Et le dos** *(répétez)*
**Et les ailes** *(répétez)*
**Et les pattes** *(répétez)*
**Alouette** *(répétez)*
*(REFRAIN)*

## DANS UN BEAU CIEL TOUT BLEU

 sur l'air de « Ah, vous dirai-je Maman »

**Dans un beau ciel tout bleu**
*Levez les mains vers le ciel*
**Surgit un nuage ou deux.**
*Faire « coucou » avec les mains*

**Le vent s'élève, et de lui**
**Tombe, tombe toute la pluie,**
*Frottez vos mains ensemble et tremblez*
**Mais nous aimons bien la pluie**
**Qui tombe et nous rafraîchit !**
*Remuez les doigts en direction du sol*

**Le vent s'élève, et de lui**
**Tombe, tombe toute la pluie,**
*Frottez vos mains ensemble*
*et tremblez*
**Mais nous aimons bien la pluie**
**Qui tombe et nous rafraîchit !**
*Remuez les doigts en direction*
*du sol.*

**167**

# UNE PROMENADE EN AUTOBUS

## TOURNÉE MUSICALE

### HABILETÉS

**Un air entraînant** *et des gestes faciles à reproduire font de cette chanson à répondre une activité formatrice pour les tout-petits. La répétition de la chanson stimule le développement des capacités auditives de votre enfant, alors que les gestes des mains l'aident à conceptualiser le sens des mots. Quand ses habiletés motrices et sa mémoire augmenteront, il sera en mesure d'imiter la plupart des mouvements des mains et commencera même à les anticiper.*

| | |
|---|---|
| Conscience de son corps | ✔ |
| Développement de la notion de concept | ✔ |
| Coordination | ✔ |
| Développement du langage | ✔ |
| Capacité d'écoute | ✔ |

**C**ETTE CHANSON est un classique du répertoire des tout-petits adapté pour la version française. Vous pouvez l'interpréter de plusieurs façons, mais il est toujours préférable que votre enfant soit assis face à vous ou sur vos genoux et qu'il regarde devant lui. S'il a pris place sur vos genoux, guidez doucement ses mains pendant la chanson.

• Commencez par lui montrer les différents mouvements à faire pendant la chanson, puis encouragez-le à participer.

• N'hésitez pas à inventer de nouveaux couplets de votre cru et les mouvements des mains correspondants, car si vous êtes inspiré et que vous vous amusez, il en ira de même pour votre enfant.

### PRENEZ UN PASSAGE DE CHOIX

à bord de votre autobus et montrez-lui à quel point les roues tournent rondement et les essuie-glace font « squish, squish ».

**Les roues de l'autobus
Tournent en rond, tournent
en rond,**
*Faites tourner vos avant-bras vers
l'avant dans un mouvement
circulaire*

**Tournent en rond, tournent
en rond,**
*Continuez à faire tourner
vos bras*

**Tournent en rond, tournent
en rond.**
*Continuez à faire tourner
vos bras*

**Les roues de l'autobus
Tournent en rond, tournent
en rond.**
*Continuez à faire tourner
vos bras*

**Les roues de l'autobus
Tournent en rond dans toute
la ville.**
*Tracez un cercle dans les airs*

**Le klaxon de l'autobus fait
Bip bip, fait bip, bip,**
*Faites semblant d'appuyer sur
un klaxon avec la main*

**Bip, bip, bip, bip,**
*Appuyez sur le klaxon avec
la main*

**Bip, bip, bip, bip,**
*Appuyez sur le klaxon avec
la main*

**Le klaxon de l'autobus fait
Bip bip, fait bip, bip,**
*Faites semblant d'appuyer sur
un klaxon avec la main*

**Le klaxon de l'autobus fait
Bip, bip dans toute la ville.**
*Tracez un cercle dans les airs.*

*Continuez la chanson avec des va-
riantes comme celles-ci ou en y allant de vos propres improvisations :*

**Les essuie-glaces
de l'autobus font
Squish, squish, squish...**
*Remuez les avant-bras de gauche
à droite*

**Le conducteur de l'autobus dit :
« Allez vers l'arrière, s'il-vous-
plaît »**
*Faites un geste avec votre pouce
par-dessus l'épaule pour indiquer
aux passagers de se diriger vers
l'arrière*

**Les lumières de l'autobus font
Cling, cling, cling...**
*Ouvrez et fermez les poings*

**Le bébé dans l'autobus fait
Ouin, ouin, ouin...**
*Faites un mouvement de
bercement avec vos bras*

**Les parents dans l'autobus
disent : « je t'aime...X »**
*Étreignez votre enfant.*

SI VOTRE ENFANT AIME CETTE ACTIVITÉ,
essayez aussi *La petite araignée*, en page 161.

**169**

# C'EST L'HEURE DE L'IMPRO !

## CONCERT EN DIRECT DE LA CUSINE

### HABILETÉS

**Une des façons pour les tout-petits** *d'apprendre la notion de cause à effet consiste à émettre des sons avec divers objets. Quand un enfant frappe sur un bol, il constate qu'il est capable de produire des sons. Avec la pratique, il finira par améliorer sa coordination et sa compréhension du rythme et en s'exerçant avec les différents instruments à sa portée, il parviendra à créer une multitude de sons intéressants.*

| | |
|---|---|
| **Cause et effet** | ✔ |
| **Coordination** | ✔ |
| **Capacité d'écoute** | ✔ |
| **Exploration du rythme** | ✔ |

**V**IDEZ UNE ARMOIRE DE CUISINE (près du sol) pour votre enfant et remplissez-la de cuillères robustes en bois, de bols en métal de différentes grandeurs, de casseroles légères (les moules à gâteaux et les petites poêles à frire conviennent parfaitement), de bols à salade en bois, de couvercles en métal de différentes grandeurs et de tasses à mesurer en plastique. Plus la diversité des «instruments» sera grande, plus vous et votre enfant pourrez émettre une gamme de sons différents. Faites preuve de créativité en remplissant votre armoire. Si vous avez des instruments-jouets, ajoutez-les à la panoplie d'instruments.

• Pour les enfants un peu plus âgés, créez un orchestre qui fait des pauses. Demandez à votre enfant de « taper » sur les instruments tout en suivant son chef d'orchestre, en l'occurrence vous-même, puis faites-lui signe d'arrêter et de recommencer à nouveau.

• Encouragez votre jeune musicien à faire des expériences en frappant de différentes façons sur ses instruments, soit avec enthousiasme, douceur, lenteur ou rapidité. Démontrez-lui la différence.

• Faites jouer une de ses cassettes ou disques préférés (les morceaux très rythmés sont à conseiller) et encouragez-le à accompagner les musiciens en y allant de ses propres talents de percussionniste.

**TOUT SAUF L'ÉVIER DANS LA CUISINE** et celui-ci ferait sans doute l'affaire aussi, représente un instrument potentiel pour un musicien en herbe.

**Le vacarme** *produit par votre concertiste de cuisine constitue une excellente « nourriture pour le cerveau », affirme la psycho-éducatrice Jane Healy : « les jouets qui produisent des sons et des images favorisent l'apprentissage cognitif, mais il est important que l'enfant ait une interaction avec ses jouets. Frapper deux casseroles l'une sur l'autre est beaucoup mieux… que d'appuyer sur des boutons pour produire des bruits occasionnés par des pièces électroniques internes. L'enfant devrait être capable d'établir une relation de cause à effet et de voir le jouet à l'œuvre. »*

171

# BOÎTE À SURPRISES

## L'IDENTIFICATION DE VISAGES FAMILIERS

### HABILETÉS

**Cette activité permet** *d'accroître la mémoire visuelle et les habiletés motrices fines de votre enfant. Associer un mot à sa représentation visuelle est très important et l'aide à développer les habiletés langagières dont il aura besoin lorsqu'il commencera à lire et à écrire. Au fur et à mesure que le vocabulaire de votre enfant s'enrichira, surprenez-le en glissant de nouvelles photos à l'intérieur des boîtes.*

**R**ASSEMBLEZ des boîtes à cigares, des boîtes à chaussures ou des boîtes provenant de boutiques de cadeaux. Découpez des photos des membres de votre famille ou des images d'objets facilement reconnaissables (articles de maison, animaux, jouets) et collez-en une à l'intérieur du couvercle de chacune des boîtes. Ouvrez les boîtes et parlez avec votre enfant des images se trouvant à l'intérieur. Quand votre enfant aura acquis plus de confiance, demandez-lui d'ouvrir les boîtes et d'identifier les images. Une fois qu'il aura maîtrisé cette activité (vers l'âge de deux ans), mettez sa mémoire à l'épreuve et demandez-lui de vous indiquer quelle boîte contient la photo de son père ou l'image d'un cheval ou d'un ballon.

DÉCOUVRIR UNE PHOTO de papa, de maman ou d'un animal sous le couvercle d'une boîte constitue un excellent moyen de stimuler le sens de la découverte de votre enfant tout en améliorant sa mémoire visuelle.

| Habiletés motrices fines | ✔ |
| Développement du langage | ✔ |
| Habiletés sociales | ✔ |
| Mémoire visuelle | ✔ |

**172**

# PIEDS NUS DANS L'HERBE

## EXPLORATION DES TEXTURES AVEC LES ORTEILS

**MÊME UN ENFANT** qui a commencé à marcher depuis plusieurs mois continue encore de s'habituer aux sensations que procurent la marche. Profitez de sa curiosité en retirant ses chaussures et en l'emmenant à l'extérieur pour qu'il expérimente diverses textures comme du sable chaud, des cailloux lisses, du béton froid, de l'herbe mouillée et de la boue gluante. Lorsqu'il sera un peu plus âgé, demandez-lui ce qu'il ressent lorsqu'ilmarche. S'il n'est pas encore familier avec les mots appropriés, proposez-en quelques-uns : « chaud », « piquant », « doux ». Si vous craignez que l'enfant se salisse trop les pieds, terminez l'activité en sautant dans une cuvette remplie d'eau tiède savonneuse.

**VOTRE BAMBINE SE DÉLECTERA** de la sensation de différentes textures comme celle de l'herbe douce sur la plante de ses pieds sensibles. Retirez vos chaussures et partagez le plaisir de votre trottineuse.

## HABILETÉS

**Marcher pieds nus** *est plus facile pour une bambine que de marcher avec des chaussures, car elle peut se servir de ses pieds pour garder son équilibre. De plus, non seulement la sensation de marcher sur des surfaces inhabituelles la fera rire, mais elle aura l'occasion de se familiariser avec les propriétés associées à différentes matières et avec les mots pour les décrire.*

| | |
|---|---|
| ✔ | **Conscience de son corps** |
| ✔ | **Développement du langage** |
| ✔ | **Exploration sensorielle** |
| ✔ | **Distinction tactile** |

**173**

# DES LIVRES
# AVEC DE BELLES IMAGES

RATS DE BIBLIOTHÈQUE EN HERBE

## HABILETÉS

**La lecture est un outil important** *dans l'apprentissage du langage. Les tout-petits apprennent la plupart des règles de grammaire simplement en écoutant parler les autres, particulièrement vous-même. Des études récentes démontrent que l'étendue du vocabulaire d'un jeune enfant dépend du nombre de mots que celui-ci entend dans un contexte significatif. Ainsi, plus vous ferez la lecture à votre enfant, plus il développera facilement des habiletés au niveau du langage.*

| | |
|---|---|
| Développement du langage | ✓ |
| Capacité d'écoute | ✓ |
| Distinction visuelle | ✓ |
| Mémoire visuelle | ✓ |

**S**'IL EST POSSIBLE QU'IL NE PARLE PAS et ne comprenne pas tous les mots, même un tout jeune enfant aime « lire » des livres en compagnie d'un parent ou d'un grand-parent. Le rythme des mots le captive et les images lui font découvrir le monde.

• Choisissez des livres comportant des images claires d'objets familiers et pointez-les du doigt à l'enfant pendant que vous lisez. Ceci lui permettra de se familiariser avec des mots utilisés dans la vie de tous les jours comme « chaise », « maison » et « auto ».

• Optez pour des livres fabriqués en tissu, en plastique ou en carton épais qui sauront mieux résister aux mâchoires de votre petit auditeur que les livres en papier. De plus, les petits livres avec couvertures capitonnées sont plus faciles à tenir pour un jeune enfant.

• Évitez les récits trop longs et les mots compliqués et abrégez plutôt l'intrigue pour vous attarder davantage à commenter les illustrations ou les photos afin de maintenir l'intérêt de votre enfant et l'aider à développer ses capacités d'observation.

Insistez sur les rimes et les mots amusants susceptibles d'éveiller son intérêt.

• N'oubliez pas que les tout-petits ne peuvent rester en place pendant de longues périodes de temps. Vous devrez donc adapter la durée de votre séance de lecture à sa capacité d'attention. Laissez-le s'amuser avec ses jouets ou errer dans ses pensées s'il le désire. En terminant la séance de lecture pendant que c'est encore amusant, votre enfant associera la lecture à une activité positive et conservera cette image toute sa vie.

MÊME UN ENFANT trop jeune pour comprendre l'intrigue se régalera des images couleurs, des rimes simples et de la cadence de la voix de sa grand-maman.

**Bien que les enseignants** recommandent fortement aux parents de faire la
lecture aux enfants d'âge scolaire, un
rapport présenté par la Fondation
Carnegie en 1994 révélait qu'aux
États-Unis, seulement la moitié des bébés et des tout-petits profitaient de ce
privilège. Pourtant, comme l'écrivait
Penelope Leach dans son ouvrage :
« Your baby and Child », le contact des
enfants à ces outils importants d'apprentissage et de plaisir les aide à « développer un lien d'amitié avec les livres
et à leur accorder une valeur ». Elle
recommande aux parents d'initier
leurs tout-petits à divers livres d'images et de contes et de prendre le temps
de parler des illustrations.

« La lecture des images, explique Penelope Leach, est
une étape préparatoire et
nécessaire à la lecture
du texte».

# LES VERTUS DE LA RÉPÉTITION

**AVEZ-VOUS L'IMPRESSION QUE VOUS ALLEZ** perdre la boule si vous continuez à jouer au ballon une minute de plus avec votre bambin? En avez-vous marre de lire et relire les mêmes contes? Peut-être avez-vous l'impression que votre enfant a besoin d'une plus grande diversité au niveau des jeux et que vous devriez délaisser quelques-unes de ses activités préférées pour en explorer de nouvelles.

Bien que votre patience puisse être mise à rude épreuve, ne sous-estimez jamais les vertus de la répétition lorsqu'il est question du développement d'un enfant. Comme l'affirme la psycho-éducatrice Jane Healy dans son ouvrage intitulé *Your Child's Growing Mind*, «une activité doit être répétée plusieurs fois pour affirmer les réseaux de neurones qui en permettent la maîtrise». En d'autres mots, lorsque vous racontez la même histoire à votre enfant, soir après soir, vous l'aidez à stimuler les cellules du cerveau qui permettent à votre enfant d'associer des mots aux objets qu'ils représentent. Pour ce qui est du jeu de ballon, vous remarquerez très bientôt une nette amélioration de sa coordination œil-main. Une activité aussi simple que faire rouler un ballon aide l'enfant à se préparer à réaliser des tâches plus complexes dans les années qui vont suivre, qu'il s'agisse de comprendre les nuances dans le récit *Ulysse* de James Joyce ou d'évoluer dans une ligue de baseball professionnelle.

Il faut aussi tenir compte du fait que les enfants ne se lassent pas aussi rapidement que les adultes. Comme le fait observer la neurologue Ann Barnes dans son ouvrage *The Youngest Minds*, «les comptines et les jeux simples captivent les jeunes enfants parce qu'ils deviennent familiers». La maîtrise d'une nouvelle habileté leur apporte beaucoup de confiance et leur donne même envie de se frotter à de nouveaux défis.

Ceci ne veut pas dire que les parents ne passent jamais trop de temps à jouer avec leur enfant à une activité quelconque, car même les tout-petits en ont parfois assez. Assurez-vous de toujours vérifier les réactions de votre enfant. S'il montre des signes de frustration ou d'impatience, mettez fin à l'activité, mais s'il s'amuse, laissez-le répéter l'activité aussi souvent qu'il voudra.

# DES POTS REMPLIS DE PLAISIR

12 MOIS 1 ET PLUS

## DÉCOUVRIR CE QUI SE CACHE À L'INTÉRIEUR DES POTS

**R**ASSEMBLEZ QUELQUES pots de plastique transparents de grand format, munis de couvercles faciles à enlever. Placez un des jouets favoris ou une écharpe aux couleurs vives à l'intérieur de chacun des pots et fermez le couvercle, puis demandez à votre enfant de retirer le couvercle et d'en sortir le jouet ou l'écharpe. (Au début, vous devrez sans doute laisser les couvercles dévissés pour permettre à ces petits doigts encore peu agiles de retirer plus facilement le jouet ou l'écharpe). Votre trottineur sera toujours prêt à recommencer à retirer les jouets du pot. Lorsque vous remplissez les pots, assurez-vous de choisir des jouets qui comportent un diamètre supérieur à 4,5 cm, afin d'éviter les risques d'étouffement.

**UN JOUET CACHÉ À L'INTÉRIEUR** d'un pot suffit à persuader l'enfant de retirer le couvercle.

## HABILETÉS

**Apprendre à retirer** *un couvercle, même s'il est déjà dévissé, contribue au développement de la coordination et des habiletés motrices fines de votre enfant. Le seul fait d'essayer de dévisser un couvercle permet d'améliorer ces habiletés. Dans une activité comme celle-là, le succès est immédiatement récompensé et vous pouvez être certain que votre petit expert en pots voudra recommencer souvent à ouvrir le couvercle.*

✔ **Habiletés motrices fines**

✔ **Développement du langage**

✔ **Habiletés sociales**

SI VOTRE ENFANT AIME CETTE ACTIVITÉ, essayez aussi *Le mystère de la céréale* en page 202.

**177**

# CHANSONS À ÉCOUTER SUR DES GENOUX CONFORTABLES

**S**'ASSEOIR SIÈGE SUR LES GENOUX D'UN DE SES PARENTS est loin d'être une activité passive pour un bambin dynamique. Bien que vos genoux soient vus comme un refuge temporaire sûr pour votre enfant, où il peut se détendre et se faire cajoler entre deux activités, ce siège de choix est également associé à des plaisirs comme la lecture, le bercement, les sauts… ou chanter en chœur les chansons suivantes et faire semblant d'être un avion, un cheval ou même une grenouille.

## LE P'TIT AVION

 sur l'air de « **Pomme de reinette** »

**C'est un p'tit avion qui vole, qui vole,**
**Qui vole très haut,**
**C'est un p'tit avion qui vole, qui vole,**
**Qui vole dans le ciel.**
*Tenez fermement l'enfant avec vos deux mains et soulevez-le au-dessus de votre tête comme s'il était un avion.*

FAITES EN SORTE QUE VOTRE TOUT-PETIT se sente en sécurité pendant qu'il plane comme un avion, en le regardant, en lui souriant et en vous amusant autant que lui.

**178**

## NOUS N'IRONS PLUS AU BOIS

**Nous n'irons plus au bois,**
**Les lauriers sont coupés,**
**La belle que voilà ira les ramasser.**
**Entrez dans la danse,**
**Voyez, comme on danse.**
**Sautez, dansez,**
**Embrassez qui vous voudrez.**

*Balancez votre enfant sur vos genoux.*
*Tenez-le fermement et faites-le danser,*
*puis embrassez-le.*

## À CHEVAL

 **« À cheval »**

**À cheval, à cheval,**
**Sur la queue d'un orignal.**
**À Paris, à Paris,**
**Sur la queue d'une petite souris.**

*Tenez votre enfant de façon sécuritaire sur*
*vos genoux et faites-le bondir de haut en*
*bas comme s'il montait un cheval.*

## MON BEAU BONHOMME

 **« Bonhomme, bonhomme »**

**Bonhomme, bonhomme, sais-tu rouler ?**
*(répétez)*
**Sais-tu rouler de gauche à droite ?**
*(répétez)*
**Roule à droite et roule à gauche,**
**Roule à gauche et roule à droite,**
**Bonhomme,**
**Tu ne sais pas comment rouler,**
**Mon beau bonhomme.**

*Faites bondir votre enfant sur*
*vos genoux pendant que vous*
*chantez ou allongé sur le dos,*
*placez-le, le visage sur votre*
*estomac et balancez-le dou-*
*cement d'un côté à l'autre.*

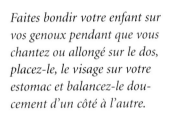

 **179**

# LA CHANSON DU CANARD

## UNE CHANSON QUI FAIT DES VAGUES

sur
l'air
de    « **La chanson du canard** »

**C'est la chanson du canard,
Qui en sortant de la mare,
Se secoue le bas des reins
Et fait coin, coin.
Faites comme les petits canards
Et pour que tout le monde se marre,
Remuez du popotin
En faisant coin, coin.**
*Faites « coin-coin » avec vos mains*

**À présent, claquez du bec
En secouant vos plumes avec,
Avec beaucoup plus d'entrain
Et des coins, coins, coins.
Allez, mettez-en un coup,
On s'amuse comme des fous,
Pliez les genoux et redressez-vous.**
*Faites semblant de lancer de l'eau*

**C'est la chanson du canard,
Qui en sortant de la mare,
Se secoue le bas des reins
Et fait coin, coin.
Faites comme les petits canards
Et pour que tout le monde se marre,
Remuez du popotin
En faisant coin, coin.**
*Faites « coin-coin » avec vos mains.*

| | |
|---|---|
| **Cause et effet** | ✔ |
| **Développement du langage** | ✔ |
| **Capacité d'écoute** | ✔ |
| **Exploration du rythme** | ✔ |
| **Exploration sensorielle** | ✔ |

**P**ARTAGEZ CETTE CHANSON avec votre enfant pendant que vous jouez dans la barboteuse ou dans le bain et servez-vous d'une famille de canards en caoutchouc comme accessoires. Vous n'aurez pas besoin de supplier bien longtemps votre enfant pour qu'il s'amuse à arroser, alors faites-en sorte d'être déjà mouillé ou prêt à l'être. Pendant le premier couplet, utilisez vos mains pour imiter un bec de canard qui fait « coin », « coin » dans l'eau. L'enfant ne se doutera pas un instant, au beau milieu des éclats de rire, que vous stimulez sa mémoire auditive et améliorez son sens du rythme.

**VOTRE PETIT CANARD** s'amusera follement dans l'eau en vous regardant imiter un bec de canard et en arrosant au rythme de cette chanson des plus entraînantes.

12 MOIS ET PLUS 1

# FAIS COMME MOI

## SUIVEZ LE GUIDE CHANTANT!

**E**XPLOITEZ LES TALENTS D'IMITATION innés de votre bambin dans cet exercice endiablé. Donnez-vous le plus d'espace possible et asseyez-vous en installant votre enfant sur les genoux ou placez-vous debout, face à lui. Insistez sur le nom de chacune des parties du corps pendant que vous chantez et pointez-les avec votre index sur le corps de votre petit chanteur pendant que vous exécutez les mouvements. Si l'enfant est hésitant, aidez-le à soulever et abaisser légèrement les bras, les épaules et les jambes. Entre les répétitions de la chanson, demandez-lui d'indiquer où se trouvent ses bras et ses jambes. Une fois qu'il aura appris à vous suivre parfaitement, essayez d'ajouter quelques mouvements que vous inventerez vous-même.

MONTREZ À VOUTRE TROTTINEUR à quel point le fait de lever ses bras pendant la chanson peut être amusant tout en lui permettant de se familiariser avec les noms des différentes parties de son corps.

sur l'air de « **Cadet Rousselle** »

### FAIS COMME MOI

**Bouge tes bras de bas en haut,
De bas en haut, de bas en haut,
Bouge tes bras de bas en haut,
De bas en haut, et fais comme moi.**

*Continuez avec différentes parties du corps:*
**Bouge tes mains de haut en bas,
Bouge tes épaules de haut en bas,
Bouge tes coudes de haut en bas,
Bouge tes pieds de haut en bas,
Bouge ton corps de haut en bas.**

| ✓ | **Conscience de son corps** |
| ✓ | **Développement de la notion de concept** |
| ✓ | **Coordination** |
| ✓ | **Mouvement créatif** |
| ✓ | **Capacité d'écoute** |

# UNE ÉTOILE EST NÉE

## LE PLAISIR D'ENTENDRE SA PROPRE VOIX

### HABILETÉS

**Comme vous l'avez sans doute remarqué,** *à cette période de son développement, votre fillette est plutôt centrée sur elle-même et toutes les choses qui lui appartiennent. Tout comme un miroir la fascine parce qu'elle peut s'y voir, un enregistrement sur ruban lui permet de se délecter du son de sa voix. Cette expérience contribuera à développer ses capacités d'écoute, essentielles au développement de son langage.*

| | |
|---|---|
| Développement du langage | ✔ |
| Capacité d'écoute | ✔ |
| Habiletés sociales | ✔ |

**V**OUS AVEZ REMARQUÉ COMMENT votre bambin s'anime lorsqu'il entend la voix d'autres enfants et sa réaction quand il voit son visage dans le miroir. Imaginez maintenant le plaisir qu'il éprouvera à entendre sa propre voix ! Enregistrer la voix de votre tout-petit lui donnera une toute autre idée de lui-même et procurera à toute votre famille un souvenir pour des années à venir.

• Enregistrez les sons de votre enfant alors qu'il rit des grimaces de papa, qu'il babille en jouant, parle sur son téléphone-jouet (voir drelin, drelin, en page 237) et même lorsqu'il crie de plaisir dans le bain.

• Procédez à une séance d'enregistrement lorsque vous faites la lecture à votre tout-petit afin qu'il puisse écouter votre narration et ses commentaires lorsqu'il sera plus âgé.

Vous pouvez utiliser un magnétophone sans micro externe, mais un micro séparé produit un son supérieur. Évitez d'acheter des cassettes longue durée (celles qui enregistrent 120 minutes et plus), car elles sont plus susceptibles de se briser et de s'étirer avec l'usure.

• Quand votre chanteur de charme en herbe aura atteint l'âge de 2 ou 3 ans, encouragez-le à enregistrer quelques chansons sur cassette, seul ou avec vous, s'il est timide.

SI VOTRE ENFANT AIME CETTE ACTIVITÉ, essayez aussi *Miroir, Miroir,* en page 184.

**UNE FOIS QUE VOTRE STARLETTE** aura compris à quoi sert le microphone, elle le prendra et se mettra à parler avec enthousiasme, ce qui lui permettra de découvrir une nouvelle facette d'elle-même.

**Des études récentes** *démontrent que la taille du vocabulaire d'un jeune enfant dépend beaucoup de la fréquence à laquelle ses parents ou les gens qui s'en occupent lui parlent. Une chercheuse de l'Université de Chicago, Janellen Huttenlocher, a découvert que les enfants de 20 mois dont les mères parlent beaucoup ont un vocabulaire comportant environ 130 mots de plus que les enfants du même âge dont les mères sont moins volubiles. Dès l'âge de deux ans, l'enfant qui a une mère volubile, possède le double du vocabulaire d'un autre enfant. Vous aurez beau installer un enfant devant un téléviseur, cela ne lui sera d'aucune utilité, puisque l'interaction entre l'enfant et la personne qui parle et le lien avec des événements réels sont essentiels à l'assimilation des mots.*

# MIROIR, MIROIR

## J'APPRENDS À ME CONNAÎTRE

### HABILETÉS

**La clé du développement de votre enfant,** *c'est son sentiment d'identité personnelle (de là l'intérêt pour les notions de moi et de ce qui m'appartient et de toi et de ce qui t'appartient). Le jeu du miroir aide à développer le concept de soi, de l'individualité. Les tout-petits éprouvent également une fascination pour leur corps. Identifier les différentes parties de leur corps devant un miroir les aide à comprendre les noms des parties de leur corps et les encourage à explorer davantage leur propre identité.*

| | |
|---|---|
| **Conscience de son corps** | ✔ |
| **Développement du langage** | ✔ |
| **Concept de soi** | ✔ |
| **Habiletés sociales** | ✔ |
| **Distinction visuelle** | ✔ |

**184**

**V**OTRE ENFANT est sûrement fasciné par sa propre image depuis l'époque où il était un tout petit bébé. Cependant, c'est vraiment vers l'âge de 12 mois que les enfants commencent à s'amuser devant un miroir. Elle est maintenant capable de comprendre que l'image qu'elle voit est la sienne et cette compréhension de sa propre identité et de toutes les parties de son corps est pour elle d'un intérêt capital.

Asseyez-vous ou restez debout ensemble devant un miroir et prenez toutes sortes d'expressions, joyeuses, tristes ou ridicules. Si votre tout-petit est un peu plus âgé, encouragez-le à improviser et pointez du doigt ses bras, ses jambes, ses yeux, son nez et d'autres parties de son corps. Identifiez également les vôtres.

Demandez-lui qui est le bébé et qui est la maman et dans peu de temps, il sera en mesure d'indiquer la bonne personne.

**OBSERVER SON REFLET**
dans un grand miroir renforce la conscience grandissante de votre enfant, à l'effet qu'il est une véritable personne avec des bras, des yeux et un visage heureux.

12 MOIS 1 ET PLUS

# SI TU AIMES LE SOLEIL

## L'ENFANT-ORCHESTRE

**A**SSEYEZ VOTRE ENFANT sur vos genoux ou au sol, face à vous pour cette chanson qui s'accompagne d'effets sonores. Créez un rythme lent en frappant des mains contre le sol, puis en tapant dans vos mains. Encouragez votre enfant à taper des mains en même temps que vous, une fois que vous aurez commencé à chanter. Répétez les deux premières lignes de la chanson avant de passer à un nouveau mouvement et à un nouveau son. Lorsque votre tout-petit tente de contrôler son corps pour faire un bruit particulier comme taper du pied ou claquer des dents, il améliorera à la fois ses habiletés langagières et motrices.

**VOUS AUREZ UN PLAISIR FOU** à vous divertir l'un l'autre en produisant des sons amusants en répétant cette chanson populaire.

### SI TU AIMES LE SOLEIL

**Si tu aimes le soleil, frappe des mains.**
**Si tu aimes le soleil, frappe des mains.**
*Donnez un coup au sol avec les mains à plat, puis tapez dans vos mains et recommencez*
**Si tu aimes le soleil,**
**Le printemps qui se réveille,**
**Si tu aimes le soleil, frappe des mains.**
*Continuez de frapper au sol et dans vos mains en alternance afin de marquer un rythme*
**Si tu aimes le soleil, frappe des mains.**
**Si tu aimes le soleil, frappe des mains.**
*Frottez vos paumes afin de produire un son de frottement*
**Si tu aimes le soleil, tape des pieds.**
**Si tu aimes le soleil, tape des pieds.**
*Frappez lourdement le sol avec vos pieds, en marquant le rythme*
**Si tu aimes le soleil, tape des pieds.**
**Si tu aimes le soleil, tape des pieds.**
*Fonnez un petit coup sur vos genoux en marquant le rythme*
**Si tu aimes le soleil, claque des dents.**
**Si tu aimes le soleil, claque des dents.**
*Faites claquer les dents ensemble, très légèrement, Continuez la chanson avec d'autres parties du corps.*

✓ **Habiletés motrices fines**

✓ **Mouvement globaux**

✓ **Capacité d'écoute**

**185**

# DES BLOCS EN PAPIER

## LE PLAISIR D'EMPILER DES GROS BLOCS

### HABILETÉS

**Les enfants améliorent** *leurs habiletés motrices fines et leur capacité de distinguer les grandeurs et les formes en jouant avec des blocs. La plupart des enfants adorent empiler des blocs, puis, comme on s'en doute, les faire tomber. Ceci leur donne une leçon d'équilibre ainsi que de cause et d'effet. Quand votre enfant construit un petit fort ou une cave, le fait de posséder un espace bien à lui et de sa taille contribue à affirmer son sentiment d'identité, en plein essor.*

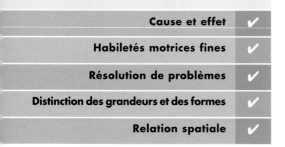

| | |
|---|---|
| **Cause et effet** | ✔ |
| **Habiletés motrices fines** | ✔ |
| **Résolution de problèmes** | ✔ |
| **Distinction des grandeurs et des formes** | ✔ |
| **Relation spatiale** | ✔ |

**À CET ÂGE,** ses mains sont probablement encore trop petites pour lui permettre de manipuler de lourds blocs en bois. Vous pouvez toutefois lui confectionner des blocs légers de grand format avec des sacs en papier et des cartons à lait, qui sont faciles à manipuler et dont la texture est douce.

• Pour confectionner de gros blocs, remplissez un sac d'épicerie en papier jusqu'au bord avec des journaux froissés. Pliez et collez les côtés de l'extrémité ouverte comme si vous emballiez un cadeau. Aidez votre enfant à décorer ces énormes blocs au moyen de marqueurs à l'encre délébile, de crayons, de papier d'emballage ou d'autocollants.

• Pour obtenir des blocs plus petits, rincez à fond, puis essuyez des cartons de lait vides. Ouvrez les extrémités et découpez verticalement les plis des coins pour former des rabats. Refermez les rabats avec du ruban adhésif et recouvrez les cartons de papier de bricolage de couleur ou même de papier contact avec motifs de briques (pour construire une maison de briques).

• Laissez maintenant votre entrepreneur en herbe démontrer son talent. Encouragez-le à empiler les blocs le plus haut possible ou à les utiliser pour construire un fort miniature. Un lit, une table et des draps peuvent servir de murs additionnels et de toit.

• Montrez-lui comment empiler les petits blocs par-dessus les gros afin de construire une tour de la hauteur d'un jeune enfant. Au moment de défaire les blocs, allez-y chacun votre tour en retirant un bloc à la fois et en comptant les blocs à voix haute au fur et à mesure que vous les enlevez, puis créez d'autres chefs-d'œuvre avec votre petit entrepreneur.

**186**

18 MOIS · 1½ · ET PLUS

« Fais-nous un gratte-ciel » !

**JOUER AVEC DES BLOCS EN PAPIER**
apprendra à votre jeune architecte comment
empiler des objets et augmentera sa compréhension des notions de grandeur,
de forme et d'équilibre.

# LE SENS DES MESURES

## COMMENT TRIER DES TASSES QUI S'EMBOÎTENT

### HABILETÉS

**Jouer à emboîter des objets** *occupe l'esprit et les mains des tout-petits tout en leur apprenant à identifier les grandeurs, à résoudre des problèmes, (« comment puis-je entrer toutes ces pièces l'une dans l'autre » ?) et en améliorant sa coordination œil-main et ses habiletés motrices fines. Le rapport donnant-donnant entre le parent et l'enfant est également important, car votre enfant apprend à écouter ce qu'on lui dit et vous laisse lui montrer comment faire les choses.*

| | |
|---|---|
| **Coordination œil-main** | ✔ |
| **Habiletés motrices fines** | ✔ |
| **Résolution de problèmes** | ✔ |
| **Distinction des grandeurs et des formes** | ✔ |

**LES TOUT-PETITS** s'amusent sans fin à retirer des objets d'un contenant et à tenter de les y remettre. Augmentez le niveau de difficulté et de plaisir de cette activité en initiant votre enfant aux objets qui s'emboîtent. Ce jeu exigera de lui qu'il emboîte les articles dans un ordre spécifique.

• Vous pouvez acheter des contenants qui s'emboîtent dans des boutiques de jouets ou utiliser des cuillères à mesurer, des bols à mélanger ou des boîtes de carton de différentes grandeurs pour obtenir le même effet.

• À cet âge, certains enfants ne possèdent pas encore suffisamment de dextérité manuelle pour emboîter les objets les uns dans les autres ou les retirer. Commencez lentement avec deux ou trois tasses de dimensions très différentes et qui s'emboîtent facilement. Montrez-lui comment insérer les articles à l'intérieur des autres. Vous devrez probablement lui montrer plusieurs fois comment faire, mais il finira par être capable de vous donner un coup de main et éventuellement d'emboîter lui-même les objets.

• Une fois qu'il sera parvenu à ses fins avec quelques tasses et quelques bols, ajoutez graduellement quelques objets.

**SI LE BOL FAIT...** donnez à votre enfant une leçon importante sur les différences de grandeur tout en satisfaisant sa curiosité envers les articles de cuisine luisants.

**188**

18 MOIS
$1\frac{1}{2}$
ET PLUS

## RAPPORT
## DE RECHERCHE

**L'habileté d'un tout-petit** à séparer des tasses et des bols mélangés et à les trier en piles par ordre de grandeur ou selon les formes, signale l'éveil du raisonnement logique. Même s'il est réjouissant de voir un enfant maîtriser le concept simple, mais important de « pareil et différent », il reste encore beaucoup de chemin à faire avant de parvenir à un type de pensée spécialisée associé à des formes de raisonnement logique plus évoluées. Jonas Langer, un psychologue de l'Université de Californie à Berkeley fait remarquer que : « les capacités logiques d'un enfant progressent de façon étonnante entre les âges de quatre et huit ans. Toutefois, les enfants ne sont en mesure de comprendre des notions de symbolisme abstrait que vers l'âge de onze ans ».

**189**

# METS TES MAINS DEVANT TES YEUX

## UN JEU DE CACHE-CACHE CHANTÉ

sur l'air de

### CACHE TES YEUX
### « Il était un petit navire »

**Peux-tu cacher tes petits yeux ?**
**Peux-tu cacher tes petits yeux ?**
**Oh ! oui, tu peux,**
**Tu peux les cacher,**
**Oh ! oui, tu peux,**
**Tu peux les cacher tes petits yeux.**
*Mettez vos mains devant vos yeux*

**Peux-tu cacher ton petit nez ?**
**Peux-tu cacher ton petit nez ?**
**Oh ! oui, tu peux,**
**Tu peux le cacher,**
**Oh ! oui, tu peux,**
**Tu peux le cacher ton petit nez.**
*Mettez vos mains devant votre nez*

*Poursuivez le jeu en nommant
d'autres parties du corps comme
le menton, les genoux, les orteils,
les coudes, les oreilles, les pieds
et ainsi de suite.*

| | |
|---|---|
| **Conscience de son corps** | ✔ |
| **Mouvement créatif** | ✔ |
| **Développement du langage** | ✔ |

**C**E CHANT CONJOINT fait usage d'un des jeux préférés des tout-petits, soit le jeu de cache-cache et l'applique à différentes parties du corps de votre enfant. Cet exercice lui permettra de se familiariser avec les mots correspondant aux différentes parties de son corps et de chanter en chœur avec d'autres personnes.

• Commencez à chanter en utilisant les noms les plus simples représentant des parties du corps, comme les yeux, le nez, les pieds et les orteils, puis passez à des mots moins courants comme coudes, genoux, menton et cou.

• Faites quelques erreurs volontaires de temps à autre pour vérifier s'il les remarque. Par exemple, mettez vos mains sur vos genoux lorsque vous dites : « orteils » ou mettez les mains sur ses genoux au lieu des vôtres. Ces méprises l'amuseront beaucoup.

**VOTRE ENFANT JOUE** à cache-cache tout en chantant lorsque vous ajoutez de nouvelles paroles à cet air connu.

**190**

18 MOIS 1½ ET PLUS

# EN AVANT LES PERCUSSIONS !

## EXPÉRIENCES SONORES

INITIEZ VOTRE TROTTINEUR d'une curiosité insatiable à de nouveaux sons et rythmes en lui procurant des maracas ou d'autres instruments à percussion miniatures (en vente dans la plupart des boutiques de jouets). Vous avez aussi l'option de les fabriquer en remplissant quelques bouteilles en plastique de riz, de fèves séchées ou de pièces de monnaie (fermez les couvercles avec du ruban d'emballage afin d'éviter tout risque d'accident). Commencez en remuant chaque instrument ou bouteille, puis remettez-le à l'enfant, en commentant le son unique qu'il produit. Jouez des airs familiers sur différents rythmes et encouragez-le à faire de la musique et à bouger en suivant le rythme de cette musique.

QUELQUES INSTRUMENTS FAIT À LA MAIN et une bonne chanson et votre trottineur aura tout ce qui lui faut pour concocter des rythmes endiablés.

### HABILETÉS

**Jouer avec des instruments de musique** *stimule les réflexes auditifs et développe le sens du rythme inné d'un enfant, deux éléments qui sont fondamentaux dans le développement du langage. L'identification de différents sons contribue à exercer l'oreille à reconnaître le ton et le volume et le fait de danser, de remuer des objets ou de jouer d'un instrument favorise la créativité. Si vous confectionnez vos propres maracas, procurez une stimulation tactile additionnelle à votre enfant en le laissant toucher au riz, aux fèves ou aux pièces de monnaie avant de les mettre dans les bouteilles (assurez-vous toutefois qu'il ne les mange pas).*

✔ **Mouvement créatif**

✔ **Capacité d'écoute**

✔ **Exploration du rythme**

✔ **Exploration sensorielle**

**191**

# LES ARTISTES DU SABLE

## DES ARCHITECTES EN HERBE QUI N'ONT PAS PEUR DE SE SALIR

### HABILETÉS

**Le sable est un matériau formidable** *pour laisser libre cours aux expériences artistiques d'un tout-petit, car il lui permet littéralement de se plonger des pieds à la tête dans son art, et ce en toute sécurité. Prendre le sable dans ses mains et le relâcher ainsi qu'utiliser des outils pour le manipuler, exercent les habiletés motrices fines et stimulent le sens du toucher de votre enfant.*

| | |
|---|---|
| **Expression créatrice** | ✔ |
| **Habiletés motrices fines** | ✔ |
| **Stimulation tactile** | ✔ |

SI VOTRE ENFANT AIME CETTE ACTIVITÉ, essayez aussi *Artiste de la nature*, en page 206.

**L**ES MAÎTRES DU ZEN et les bulldozers le font et les tout-petits peuvent en faire autant. Que vous soyez à la plage ou dans un bac de sable dans une cour arrière, dessiner dans le sable est une activité absorbante, créative et divertissante. Elle joint l'utile à l'agréable en favorisant la créativité et représente une activité saine à pratiquer à l'extérieur.

• Rassemblez différents outils pour enfants, y compris des jouets pour le sable (chaudières, pelles et moules en plastique), des ustensiles de cuisine (spatules, cuillères en bois et récipients en plastique), et des outils de jardinage (arrosoirs et râteaux miniatures).

• Versez de l'eau sur le sable pour l'assouplir.

• Montrez à votre enfant comment faire des dessins avec ses petits outils. Il pourra tracer des lignes dans le sable au moyen du râteau ou faire un grand cercle en pressant une assiette à tarte sur le sable. Utilisez des contenants de yogourt vides et du sable mouillé pour fabriquer des tours et des tourelles.

• Montrez à votre tout-petit comment il est facile d'effacer ses œuvres simplement en remuant les mains dans le sable ou en lançant une chaudière remplie d'eau sur ses chefs-d'œuvre miniatures. Laissez-le défaire et recréer des structures en sable aussi souvent qu'il en aura envie.

**LA MAJORITÉS DES TOUT-PETITS SONT ENCHANTÉS** à l'idée de jouer dans un tas de sable. Ils s'amuseront encore davantage si vous leur montrez comment faire des dessins avec des jouets appropriés et des accessoires de cuisine.

# DES PHOTOS ET DU PLAISIR

## ASSOCIER DES NOMS À DES VISAGES

### HABILETÉS

**Votre trottineur apprend** les *règles de grammaire en vous écoutant parler, mais il ne saura pas qui est son cousin Robert ou à quoi ressemble une autruche seulement en vous écoutant. Il a besoin de voir une image pour associer le nom à un visage. Cette activité contribue à enrichir son vocabulaire et aussi à organiser et à partager ses souvenirs.*

**FAITES-LE VOUS-MÊME**

Collez des photos sur des cartes à jouer ou des fiches. Nous vous suggérons de faire laminer les cartes dans un centre de photocopie local ou dans une boutique spécialisée afin qu'elles puissent résister aux assauts des petites mains actives de votre enfant. Pour les fixer, utilisez du ruban ou de gros aimants plutôt que des punaises ou de petits aimants.

| | |
|---|---|
| **Développement du langage** | ✔ |
| **Distinction visuelle** | ✔ |
| **Mémoire visuelle** | ✔ |

**V**OUS AVEZ PEUT-ÊTRE L'IMPRESSION que votre enfant n'a d'autre perspective sur la vie que le moment présent : « viens ici tout de suite ; donne-le moi tout de suite, etc. ». Néanmoins, il est capable d'emmagasiner des souvenirs et de s'en rappeler depuis l'âge d'environ six mois. Il a maintenant envie d'apprendre, de mémoriser et de dire les noms des gens et des objets de son entourage. Cette activité avec fiches signalétiques représente un bon moyen d'exercer la mémoire tout en s'amusant.

• Collez des photos des membres de votre famille et d'amis sur des fiches (ceci permettra à votre enfant de les prendre plus facilement). Indiquez du doigt une personne apparaissant sur une des photos et dites son nom. En un rien de temps, votre tout-petit prononcera les noms de ces personnes avant vous.

• Collez ces photos sur un morceau de papier de bricolage et faites-les laminer afin d'obtenir un napperon « personnalisé ».

Confectionnez des cartes avec des images de choses attirantes qu'il ne connaît pas encore, à partir de photos découpées dans des revues, comme un oryctérope ou cochon de terre, une girafe ou un hélicoptère. Installez ces cartes à la hauteur de l'œil (par exemple, sur le réfrigérateur) et pointez-les souvent du doigt à votre enfant.

• Associez des histoires à ces images pour que votre enfant s'en souvienne plus facilement, par exemple : « nous avons fait des biscuits avec grand-maman, t'en souviens-tu ? » ou « Robert a un gros chien chez lui, te souviens-tu de son nom ? ». Cette activité lui apprendra comment raconter des histoires pour que les gens s'y intéressent à ces histoires. De plus, ceci l'aide à se souvenir d'événements familiers.

**194**

« Où est ton oncle Luc ? »

**AIDEZ VOTRE ENFANT** à exercer sa mémoire en lui montrant des images de visages familiers et d'objets susceptibles d'aiguiser sa curiosité.

# LA MAGIE DE LA MUSIQUE

**LA PASSION DU GENRE HU-MAIN** pour la musique est un phénomène universel, un cadeau que les parents de toutes les cultures offrent naturellement à leur enfant. Nous chantons des berceuses aux bébés pour les endormir, nous tapons des mains avec les tout-petits à l'occasion de leur première incursion chancelante sur la piste de danse de la salle de séjour et nous nous livrons à d'interminables parties de ballon avec nos tout-petits. Il s'agit d'une bonne chose, puisque des études récentes démontrent, comme celle largement publicisée portant sur l'effet Mozart, dont il est question à la page 233, suggèrent que l'exposition à la musique comporte des effets bénéfiques allant au-delà de l'acquisition des sens de la mélodie et du rythme. Mark Tramo, un neuroscientifique de la *Harvard Medical School*, explique que les mêmes voies mentales utilisées pour traiter la musique servent aussi de canaux pour le langage, les mathématiques et le raisonnement abstrait. «Cela veut dire qu'exercer le cerveau au moyen de la musique renforce d'autres habiletés cognitives», conclut le docteur Tramo.

Le gouverneur de la Georgie (É.-U.) est tellement convaincu des vertus de la musique qu'il a entrepris d'envoyer un disque de musique classique à chacun des bébés qui naît dans l'état qu'il dirige.

Ce livre comprend des suggestions simples et amusantes pour initier votre enfant à la musique, des duos enfant-parent enregistrés sur cassette (page 182) aux activités de percussions rythmées (page 210).

Plusieurs de ces activités associent mouvements et musique, ce qui aidera votre enfant à assimiler le langage et le rythme, à développer sa coordination et à prendre davantage conscience de son corps. Complétez ces exercices en écoutant différentes sortes de musique en conduisant, en mangeant ou en faisant des activités artistiques et vous développerez encore davantage ses capacités auditives tout en élargissant ses horizons musicaux. Ne vous sentez pas obligé d'écouter de la musique classique si vous n'appréciez pas ce genre musical. Faites plutôt découvrir à votre enfant des pièces que vous aimez, car votre plaisir ne fera qu'augmenter sa réceptivité face à la valeur et à la puissance de la musique.

18 MOIS
$1\frac{1}{2}$
ET PLUS

# L'HEURE DU TAMBOURIN

## DE JOYEUX MUSICIENS À L'ŒUVRE

**P**OUR LES OREILLES, les bras, les doigts, les orteils et à peu près toutes les autres parties du corps de votre tout-petit, le tambourin est un instrument qui fait de la belle musique. Donnez-lui un de ces petits tambours et encouragez-le à l'agiter et à lui donner de petits coups en suivant le rythme de ses chansons préférées ou pour vous accompagner si vous jouez d'un instrument. Déplacez-vous en jouant. Essayez des tambourins de différentes tailles. Quelle est la différence entre le son d'un petit et d'un gros tambourin ? Quelles sont les variations sonores lorsque vous agitez vivement le tambourin ou que vous y allez mollo ? Vous vous amuserez tous deux comme des petits fous en partant à la découverte des rythmes de l'autre.

### HABILETÉS

**Des instruments de musique simples** *offrent aux tout-petits toute une gamme d'activités propres à stimuler et à affiner leurs sens de l'audition et du toucher. En jouant et en écoutant, l'enfant apprend à distinguer différents rythmes et types de sonorités. De plus, un tambourin sur lequel il peut taper ou qu'il peut agiter, renforce une notion qu'il a déjà découvert, soit que le monde est rempli de sons originaux et variés, qu'il est non seulement en mesure d'identifier, mais de reproduire.*

✔ **Coordination œil-main**

✔ **Capacité d'écoute**

✔ **Exploration du rythme**

✔ **Habiletés sociales**

**ENTRE LE REFRAIN PUBLICI-TAIRE** et un bruit de casserole, un jeune enfant peut apprendre une foule de choses en jouant avec un tambourin.

# CRÉATEURS, À VOS CRAYONS !

## TRAVAIL ARTISTIQUE À UNE GRANDE ÉCHELLE

### HABILETÉS

**Tenir et utiliser** *un crayon développe les habiletés motrices fines et la coordination œil-main en plus d'habituer l'enfant à identifier les couleurs. Cependant, laisser s'exprimer le bambin en lui permettant de choisir les couleurs qu'il désire et dessiner à sa guise ajoutent des couleurs et des formes à son sentiment d'identité en plein essor. Discuter ensemble de ce que vous dessinez l'aidera à mémoriser les concepts et à développer son aptitude à communiquer.*

| | |
|---|---|
| **Développement de la notion de concept** | ✔ |
| **Habiletés motrices fines** | ✔ |
| **Habiletés sociales** | ✔ |
| **Mémoire visuelle** | ✔ |

**MÊME À L'ÂGE TENDRE** de dix-huit mois, les tout-petits sont emballés à l'idée d'utiliser un crayon et du papier. Toutefois, il peut s'avérer difficile pour eux de se fixer un objectif et de comprendre qu'un crayon ou un marqueur se doit de rester à l'intérieur des bords d'une feuille de papier. Plutôt que de le restreindre à travailler sur du papier à lettre standard, laissez votre enfant réaliser ses envolées artistiques en créant une œuvre de dimension murale.

• Libérez une grande surface et collez au sol des feuilles de papier de format affiche. Asseyez-vous à côté de votre bambin, tendez-lui des crayons ou des marqueurs à encre délébile et encouragez-le à dessiner. Au début, vous devrez peut-être lui montrer comment faire, mais une fois qu'il aura compris, il ne voudra plus s'arrêter.

• Expliquez-lui ce que vous êtes en train de dessiner. Lorsqu'il prend un crayon, dites-lui de quelle couleur il s'agit. Suggérez-lui d'utiliser différentes couleurs et félicitez-le, peu importe à quoi ressemble son œuvre.

• Si votre enfant est un peu plus âgé, demandez-lui de décrire ce qu'il dessine. Ainsi, s'il trace un cercle, dites-lui qu'il s'agit d'un cercle et que c'est rond comme un ballon. Même si vous avez envie de l'aider en faisant un cercle parfait, laissez-le plutôt expérimenter et ce qui semble être pour vous du gribouillage est une grande œuvre pour votre petit Picasso.

SI VOTRE ENFANT AIME CETTE ACTIVITÉ, essayez aussi *Jouer avec de la glaise*, en page 254 ▶

DES CRAYONS ET DES
MARQUEURS SURDIMEN-
SIONNÉS sont plus faciles à
tenir pour les doigts potelés de
votre génie en herbe. Observez-le
à l'ouvrage et voyez s'il a déjà
une couleur préférée.

199

# TON COMPTE EST BON

**V** **OTRE TOUT-PETIT** est toujours content de sauter sur vos genoux et de vous entendre chanter, mais les chansons pendant lesquelles il faut compter ajoutent une touche à la fois amusante et éducative. Non seulement votre enfant aura du plaisir à vous écouter chanter, mais il commencera à reconnaître les chiffres. Comme la répétition renforce l'apprentissage, nous vous suggérons de recommencer la chanson à quelques reprises.

## CINQ PETITES GOUTTES DE PLUIE

**Les gouttes de pluie tombent sur moi.**
*Remuez les doigts d'une de vos mains vers le bas*
**Et une petite goutte qui passait par là,**
**Murmura tout bas :**
**Comme le ciel est bas, le tonnerre est là.**
*Levez un doigt et couvrez vos oreilles*
**Une deuxième goutte ajouta :**
**Oh, la, la, ce soir il fait vraiment très froid,**

COMPTER LES GOUTTES DE PLUIE, des chenilles et des crayons est une façon amusante d'initier votre enfant à l'univers des chiffres.

**Je me colle sur toi.**
*Levez deux doigts, tremblez et serrez votre enfant*
**Une troisième goutte passait par là**
**Et elle dit que l'éclairage est vraiment très cela,**
**Ça brille aux éclats.**
*Levez trois doigts et couvrez vos yeux*
**Une quatrième goutte arrive alors toute essoufflée**
**Et dit : le vent s'est levé**
**Écoutez-le gronder**
*Levez quatre doigts et couvrez votre oreille avec votre main*
**La cinquième et dernière goutte**
**Portant un manteau beige**
**Se changea en neige**
*Levez cinq doigts et laissez-les retomber, puis agitez-les pour imiter la chute de neige*
**Les cinq gouttes se promenèrent jusqu'au dimanche**
**Et recouvrirent la terre de neige blanche.**
*Mettez vos bras devant vous par terre comme pour recouvrir le sol.*

**200**

## LA PETITE CHENILLE

**Une petite chenille est montée
sur mon soulier**
*Remuez un doigt pour imiter un ver qui
monte sur un soulier*
**Une deuxième est venue s'y poser
Et il y a deux chenilles sur mon soulier.**
*Montrez deux doigts*
**Deux petites chenilles sont montées
sur mon genou.**
*Remuez deux doigts sur votre genou*
**Une troisième est venue au rendez-vous
Et il y a trois chenilles sur mon genou.**
*Montrez trois doigts*
**Trois petites chenilles ont rampé
sur le plancher.**
*Faites marcher trois de vos doigts au sol*
**Une quatrième est arrivée
Et il y a quatre chenilles sur mon soulier.**
*Montrez quatre doigts*
**Quatre petites chenilles s'en sont allées**
*Faites marcher quatre de vos doigts au sol*
**Et reviendront nous voir en papillons
dorés**
*Secouez vos bras comme si vous étiez
un papillon.*

## MON CHEVAL DE BOIS

 *sur l'air de* **« mon cheval de bois »**

**Un, deux, trois,
Mon cheval de bois.**
*Levez un doigt à chacun des chiffres*
**Longue crinière**
*Frottrez vos cheveux vers l'arrière*
**Queue par derrière**
*Imitez la queue d'un cheval*
**Quatre noirs sabots**
*Pointez le dessous de vos pieds*
**Remets tous les crayons dans la boîte**
*Faites semblant de replacer les crayons
dans la boîte.*
**Un, deux, trois,
Mon cheval de bois.**
*Levez un doigt à chacun des chiffres.*

**201**

# LE MYSTÈRE DE LA CÉRÉALE

## EN QUÊTE DU CONTENU

### HABILETÉS

**Cette activité d'une simplicité désarmante** *permet à votre enfant de développer des techniques pour résoudre les problèmes et le familiarise avec des concepts comme « à l'intérieur et à l'extérieur » et le principe des causes et des effets. Une fois que votre enfant sera parvenu à maîtriser l'activité décrite ci-dessous, passez à un niveau supérieur avec ce jeu mettant à l'épreuve la mémoire visuelle : prenez trois contenants de yogourt ou de margarine en plastique et cachez une céréale à l'intérieur d'un des contenants. Changez les contenants de place et demandez à votre tout-petit de trouver le contenant dans lequel se cache la céréale (voir également Les tasses magiques, en page 247).*

| | |
|---|---|
| **Cause et effet** | ✔ |
| **Développement de la notion de concept** | ✔ |
| **Habiletés motrices fines** | ✔ |
| **Résolution de problèmes** | ✔ |

**P**RENEZ UNE BOUTEILLE PROPRE et incassable munie d'une petite ouverture (un biberon en plastique ou une bouteille d'eau conviennent parfaitement) et mettez quelques céréales de la marque préférée de votre enfant à l'intérieur. Montrez la céréale à votre enfant, en laissant la bouteille ouverte, et demandez-lui de la retirer. Laissez-le trouver le moyen de sortir la céréale de lui-même, mais s'il devient trop frustré, montrez-lui comment pencher la bouteille pour faire tomber la céréale. Augmentez la complexité de l'exercice en vissant légèrement le couvercle ou en lui demandant de remettre la céréale dans le contenant. Pour affiner encore davantage ses habiletés motrices, utilisez différentes sortes de contenants munis de couvercles différents.

### ET HOP... À L'ENVERS LA BOUTEILLE !

Rien ne saura motiver votre génie en herbe comme la perspective d'un bon goûter. Regardez-le aller, il vous surprendra !

# POUR LA FORME

18 MOIS
$1\frac{1}{2}$
ET PLUS

## TROUVER UNE SOLUTION

**HABILETÉS**

**O**Ù CETTE FORME VA-T-ELLE ? Les tout-petits adorent les mystères. En voici un qu'ils seront en mesure de résoudre, avec un brin de complicité de votre part. Utilisez un jouet permettant de trier des formes ou découpez trois ou quatre formes simples dans la partie supérieure et les côtés de quelques boîtes de carton résistantes. (Assurez-vous que les formes soient environ de la même grandeur pour que le triangle ne puisse être inséré à l'intérieur de l'ouverture, s'il s'agit d'un cercle. Demandez à votre enfant d'insérer les formes dans les ouvertures correspondantes. Pour commencer, montrez-lui comment faire, puis laissez votre détective en herbe résoudre cette énigme visuelle à son propre rythme.

### ASSOCIER DES FORMES

est encore plus éducatif que la géométrie, car l'enfant y apprend à trouver des solutions à des défis de toutes sortes.

**La capacité de classer** *et de faire la distinction entre les grandeurs et les formes est une habileté fondamentale, qui non seulement donne aux tout-petits un aperçu du monde qui les entoure, mais les prépare à des activités auxquelles ils seront appelés à participer dans des garderies, des camps de vacances et à la préscolaire. Trier, tenir et associer des formes favorisent également le développement des habiletés motrices fines et la coordination œil-main, ce qui sera fort utile aux tout-petits lorsqu'ils s'exerceront à utiliser des cuillères et des fourchettes, manipuleront des jouets et voudront colorier. Votre enfant pourrait mettre un certain temps avant de faire la différence entre les formes, mais la plupart des enfants de cet âge aiment pratiquer ce genre d'exercice.*

| ✔ | **Habileté à classer** |
| ✔ | **Coordination œil-main** |
| ✔ | **Habiletés motrices fines** |
| ✔ | **Distinction des formes et des grandeurs** |

**203**

# IDENTIFIER LES DIFFÉRENTES PARTIES DU CORPS

## PARLONS DU CORPS

### HABILETÉS

**Identifier différentes parties du corps** *en les nommant et en répétant les noms joue un rôle important dans le développement du langage. Non seulement votre enfant apprendra à associer votre véritable nez au mot « nez », mais il fera aussi l'expérience de toucher à un nez ou de sentir avec le sien. Les sensations physiques qu'il en retirera augmenteront la conscience qu'il a de son corps et de ses différentes parties.*

| | |
|---|---|
| **Conscience de son corps** | ✔ |
| **Développement de la notion de concept** | ✔ |
| **Développement du langage** | ✔ |
| **Capacité d'écoute** | ✔ |

DENTIFIER LES DIFFÉRENTES PARTIES DU CORPS représente une première étape importante sur le plan du sentiment d'individualité de votre enfant. Cette activité simple stimule le processus de la découverte de soi, période qui survient à la fin de la première année d'existence de l'enfant et se poursuit dans la seconde. Ce jeu permet aussi d'améliorer les aptitudes verbales et la mémoire de votre enfant et lui fait également prendre encore plus conscience de son corps.

• Pour entreprendre cette activité, asseyez-vous face à votre enfant et touchez à son nez, puis prenez son doigt dans votre main et guidez-le vers votre nez. Dites « nez » à quelques reprises pendant que vous donnez un petit coup avec son doigt sur votre nez et demandez lui ensuite d'indiquer son propre nez. Poursuivez l'exercice avec d'autres parties du corps comme la tête, les bras, les jambes et les pieds. Il lui faudra peut-être un certain temps avant d'être capable de distinguer son nez et le vôtre, mais c'est tout à fait naturel. Ce jeu deviendra bientôt l'un de ses préférés, car il lui procurera un sentiment d'accomplissement.

• S'il est capable de dire les noms des parties du corps, demandez-lui de les répéter quand vous les lui indiquez. Vous pouvez aussi improviser un jeu avec mouvements en lui montrant comment secouer la tête, taper du pied, sentir avec son nez et remuer ses petits orteils.

SI VOTRE ENFANT AIME CETTE ACTIVITÉ, essayez aussi *Mets tes mains devant tes yeux,* en page 190.

**204**

**ÊTRE CAPABLE DE FAIRE LA DIFFÉRENCE**
entre sa bouche et celle de maman est une étape importante pour une petite exploratrice du corps. Une fois qu'elle aura compris cette nuance, faites-lui remarquer combien ses mains sont petites et les vôtres grosses.

INSÉRER LES TRÉSORS DU JARDIN entre deux feuilles de papier contact est une façon créative de cultiver l'amour du plein air.

# ARTISTE DE LA NATURE

## RÉALISER UN COLLAGE AVEC DES ÉLÉMENTS DE LA NATURE

**L**ES TOUT-PETITS ADORENT LE PLEIN AIR, ramasser des objets et flirter avec le monde des arts comme vous l'aurez sans doute remarqué au déjeuner, alors que votre enfant s'amusera à peindre avec ses doigts dans son assiette de gruau ou par les œuvres d'art qu'il a improvisé sur les murs. Entretenez ses passions en l'aidant à réaliser un collage avec des éléments de la nature.

• Emmenez votre petit faire un tour du jardin, au parc ou dans les bois et ramassez de petites feuilles, des fleurs, de l'herbe, des bâtonnets, des plumes et tout ce qu'il trouvera et qui éveillera son intérêt (et dont la manipulation ne présente aucun danger).

• Profitez de ces sorties pour apprendre de nouveaux mots et concepts à votre enfant en lui parlant de ce que vous trouvez (« As-tu vu cette plume ? C'est celle d'un geai bleu »,
« Regarde, les fleurs sont tournées vers le soleil ».

• De retour à la maison, placez un morceau de papier contact transparent avec le côté collant sur le dessus, par-dessus une plaque à biscuits munie d'une bordure. Fixez les coins du papier contact à la plaque à biscuits pour empêcher le papier de coller sur vos mains.

  • Aidez votre enfant à disposer ses trouvailles sur le papier contact.

    • Placez un autre morceau de papier contact transparent, le côté collant en-dessous, par-dessus la première plaque à biscuits afin de conserver l'œuvre d'art de votre petit artiste.

    • Installez le collage dans une fenêtre, sur le réfrigérateur ou même dans la chambre de votre enfant, afin qu'il puisse exposer fièrement sa création.

## HABILETÉS

**Laisser votre enfant choisir** *ses propres objets (par exemple, une fleur rouge plutôt qu'une jaune) et les disposer comme il l'entend l'aide à identifier et à exprimer ses préférences personnelles. Parlez-lui de la nature pendant que vous vous baladez à l'extérieur et donnez-lui le goût de découvrir le monde, de l'observer et de le décrire. Le fait d'appliquer des objets sur du papier, particulièrement du papier contact adhésif, l'aidera à perfectionner ses habiletés motrices fines.*

✓ **Expression créatrice**

✓ **Coordination œil-main**

✓ **Habiletés motrices fines**

✓ **Développement du langage**

**207**

# L'ARROSAGE DES PLANTES

## UN JEU DE PANTOMIME MUSICAL

sur
l'air
de **« Ah, vous dirai-je Maman »**

### VOICI COMMENT ARROSER

**Voici comment arroser,**
**Ces belles plantes qui vont**
**pousser.**
*Mettez une main sur une hanche*
*et penchez l'autre comme un bec*
*incurvé*
**Poussez, poussez, belles**
**plantes,** *(répétez)*
**Il faut bien les arroser,**
**Sinon elles vont toutes sécher.**
**Nous arrosons bien nos plantes**
**Elles poussent et elles sont**
**contentes.**
*Accroupissez-vous au sol, puis*
*relevez-vous lentement*
**Elles poussent en force,**
**en beauté,**
**Elles sauront nous épater.**
**Il faut bien les arroser,**
**Sinon elles vont toutes sécher.**
**Nous arrosons bien nos plantes,**
**Elles poussent et elles sont**
**contentes.**
**Quand elles poussent, elles sont**
**si belles.**
**Elles grimperont jusqu'au ciel.**
*Levez vos mains au ciel.*

| | |
|---|---|
| **Équilibre** | ✔ |
| **Coordination** | ✔ |

**C**ETTE CHANSON SUR LE JARDINAGE donnera à votre tout-petit une leçon fondamentale sur la nature, à savoir que les plantes ont besoin d'eau pour pousser ! Montrez à votre enfant comment se pencher pour « verser » l'eau de la jardinière. Il s'agit d'un excellent exercice d'équilibre si vous lui faites imiter la jardinière. S'il préfère des jeux plus mouvementés, vous pouvez le soulever et le pencher au-dessus de la plante. Renforcez la leçon de jardinage en lui demandant de vous aider à arroser de véritables plantes, à l'intérieur ou à l'extérieur. Il adorera participer à ces travaux (voir *Imitateurs en herbe, en page 290*) avec vous et nourrir des choses vivantes.

**EN VOUS TORTILLANT COMME UN BEC** de jardinière, vous donnerez à votre horticulteur en herbe une idée de ce qui fait pousser les jardins.

# SURPRISE!

## DÉBALLAGE DE TRÉSORS

**P**OUR LES TOUT-PETITS, l'emballage d'un cadeau est au moins aussi amusant que le présent lui-même. Ils adorent le papier aux couleurs vives, le bruit qu'il fait lorsqu'ils le froissent et le défi de découvrir ce qu'il y a à l'intérieur. Votre enfant aimera cette activité en tout temps si vous rassemblez quelques-uns de ses jouets favoris et que vous les emballez dans du papier de couleur (sans ruban) pendant qu'il vous observe.

Montrez-lui un paquet à la fois et demandez-lui « Qu'y-a-t-il à l'intérieur du papier ? » Laissez-le retirer l'emballage, mais donnez-lui un coup de main s'il a trop de difficulté et perd patience. Faites une boule avec le papier et passez des commentaires sur le bruit que fait le papier et la sensation que vous éprouvez.

**DANS UNE SOIRÉE D'ANNIVERSAIRE,** le fait de déballer un cadeau représente au moins autant de plaisir que le présent lui-même.

### HABILETÉS

**Déballer un objet** *fait appel à la capacité de résoudre un problème et à la dextérité manuelle. Jouer avec différents motifs et textures stimule les sens visuels, tactiles et auditifs d'un enfant, particulièrement si le papier se froisse ou fait un bruit sec lorsqu'il est manipulé.*

| | |
|---|---|
| ✔ | **Coordination** |
| ✔ | **Résolution de problèmes** |
| ✔ | **Exploration sensorielle** |
| ✔ | **Distinction tactile** |

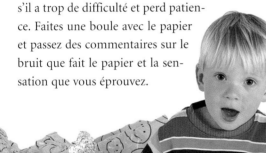

# UNE ACTIVITÉ RYTHMÉE

## S'AMUSER AU TAMBOUR

### HABILETÉS

**Votre enfant est né** *avec un sens inné du rythme et en apprenant à tenir le rythme, particulièrement en pratiquant avec vous, elle verra comment celui-ci s'intègre à la musique, à la danse et à d'autres activités rythmiques. Jouer du tambour exerce également la coordination œil-main et apprendre à varier la cadence et le volume affine le contrôle musculaire.*

| Cause et effet | ✔ |
| Expression créatrice | ✔ |
| Capacité d'écoute | ✔ |
| Exploration du rythme | ✔ |

### FAITES-LE VOUS-MÊME

Fabriquer un tambour est aussi simple que tourner une casserole ou un bol en bois à l'envers. Essayez des cuillères en métal, en plastique et en bois afin de varier les effets sonores. Servez-vous de contenants de différentes grandeurs pour produire des tons variés (plus le contenant sera petit, plus le ton sera aigu).

**V**OTRE ENFANT SAIT DÉJÀ comment faire du vacarme en cognant sur la table avec sa cuillère, en tapant dans ses mains et en frappant sur la porte lorsqu'il veut qu'elle s'ouvre. Vous pouvez canaliser ces énergies vers des sonorités plus musicales et favoriser le développement de son sens du rythme en lui montrant comment jouer du tambour.

• Achetez un tambour et un maillet (ou fabriquez-les vous-même). Asseyez-vous avec votre enfant et montrez-lui comment frapper sur le tambour avec un maillet ou avec sa main. Montrez-lui comment frapper sur le tambour, d'abord légèrement, puis lourdement.

• Variez la cadence afin qu'il se familiarise autant avec les rythmes lents que rapides. Faites-jouer de la musique entraînante et apprenez-lui à suivre le rythme de cette musique au tambour. Ne vous attendez pas à ce qu'il respecte le rythme à la perfection, car il est encore trop jeune, mais ça viendra. Balancez-vous de l'avant vers l'arrière, tapez du pied, tapez dans vos mains et remuez votre tête d'un côté à l'autre pour lui faire connaître d'autres façons de marquer le rythme ou fabriquez-vous un tambour et formez un duo d'enfer !

SI VOTRE ENFANT AIME CETTE ACTIVITÉ, essayez aussi *En avant les percussions !*, en page 191.

18 MOIS
1½
ET PLUS

**FAITES À VOTRE PETITE JOUEUSE DE TAMBOUR** une démonstration des différents sons qu'elle peut obtenir, puis laissez-la battre la mesure à son propre rythme.

« Boum, Boum, Boum, de ce tambour-là ! »

# UNE PARADE MINIATURE

## UNE JOURNÉE DE FÊTE GRÂCE À DES JOUETS ORDINAIRES

### HABILETÉS

**Il s'agit vraiment du tout début** *du jeu de fiction. Votre enfant fait semblant de participer à une parade et convertit mentalement ses jouets (et le parent avec qui il joue) en accessoires de parade. Marcher au son de la musique l'aidera à se familiariser avec le rythme. Cette activité lui permettra de développer un niveau de coordination supérieur en trouvant le moyen de faire parader ses chars allégoriques derrière lui.*

| Expression créatrice | ✔ |
| Habiletés motrices fines | ✔ |
| Mouvements globaux | ✔ |

**T**OUT LE MONDE AIME LES PARADES, mais vous n'êtes pas obligés d'attendre un jour de fête ou de circuler dans une foule pour permettre à votre fillette de participer à une parade. Nous vous suggérons plutôt d'organiser une parade miniature dans votre propre maison, en y intégrant de la musique, des célébrités (même s'il s'agit de personnages cocasses) et un maître de cérémonie. Nommez votre enfant organisatrice du défilé.

• Aidez-la à rassembler ses jouets munis de roues dans les « coulisses » (votre salle de séjour, par exemple). Reliez les jouets entre eux avec des bouts de corde pour qu'elle puisse tirer les accessoires de cette parade de fortune. Si vous avez un wagon-jouet, installez-y des jouets en peluche pour tenir le rôle de vedettes et si vous désirez ajouter une touche d'extravagance à l'événement, décorez les « chars » de banderoles et de rubans, et même de confettis, si ça vous chante !

RIEN NE SAURAIT GÂCHÉ le défilé personnel de votre petite puce lorsque les éléphants, les chevaux et les lions sur roues sont au rendez-vous et paradent derrière elle.

**212**

18 MOIS
1½
ET PLUS

• Lorsque votre fillette sera un peu plus âgée, faites jouer de la musique de fanfare entraînante et munissez-vous d'un tambour (une cuillère et un pot feront l'affaire) ou d'un faux bâton de majorette et commencez à défiler avec votre enfant dans votre sillage. Comme elle ne sera probablement pas capable de parader et de tirer ses jouets en même temps, nous vous suggérons de tirer les chars pour elle pendant qu'elle se pratique à lever les bras et à battre la mesure.

## HABILETÉS

**Dans le cadre d'études menées** *aux États-Unis et en Angleterre, les psychologues Anthony Pellegrini et Peter K. Smith ont démontré que les enfants semblaient comprendre instinctivement l'importance du jeu et de la liberté de mouvement. Lorsque leur liberté de jouer était restreinte pendant un certain temps, « la privation faisait en sorte que les niveaux de jeu étaient plus élevés lorsque l'occasion de jouer leur était offerte à nouveau », concluaient les psychologues. En d'autres termes, lorsqu'on les laissait finalement libres de jouer à leur guise, les enfants tentaient de reprendre le temps perdu.*

SI VOTRE ENFANT AIME CETTE ACTIVITÉ, essayez aussi *C'est l'heure de l'impro !*, en page 170.

**213**

# JOUER AVEC D'AUTRES MEMBRES DE LA FAMILLE

**L**ORSQUE VOUS JOUEZ seul à seul avec un jeune enfant, il est facile de vous adapter à ses besoins et à ses désirs. Toutefois, lorsqu'un autre membre de la famille est intégré au jeu, la dynamique change du tout au tout et le parent doit faire preuve de plus d'imagination et de diplomatie.

Bon nombre de facteurs compliquent la situation. Les petits ne sont pas toujours emballés à l'idée de partager l'attention de leurs parents avec une autre personne, même s'il s'agit de leur frère ou de leur sœur pour qui ils éprouvent de l'affection. S'il y a un écart de plus de deux ans entre les enfants, il n'est pas toujours évident de trouver une activité qui sied aux deux.

De plus, les enfants sont susceptibles de s'intéresser à différents styles de jeu : un des enfants est peut-être du type tranquille et préfère jouer seul avec des blocs, alors que sa sœur est un véritable tourbillon d'énergie et adore l'aider à construire des tours avec des blocs pour les détruire ensuite avec fracas. Il est donc possible que vous vous retrouviez dans un rôle d'arbitre au lieu d'être un partenaire de jeu, au beau milieu d'une activité familiale qui risque de ressembler à un gala de lutte.

Toutefois, il existe plusieurs façons de vous assurer qu'une séance de jeu en famille se déroule en douceur. Vous devez tenir compte de l'âge et de la personnalité des enfants et trouver une activité susceptible d'amuser et de satisfaire les préférences ludiques des deux enfants. Des projets artistiques comme dessiner ou peindre sur le trottoir avec des craies plaît autant aux tout-petits qu'aux enfants d'âge scolaire. Une visite dans un terrain de jeux muni de différentes installations permet aux enfants de jouer ensemble pendant un certain temps, puis à chacun de se livrer ensuite à son activité préférée. N'oubliez pas de faire provision de jeux et d'accessoires, si possible. Assurez-vous d'avoir deux ensembles de crayons pour l'aquarelle et deux ballons aux couleurs arc-en-ciel. Cette précaution saura vous éviter bien des petites querelles. Il est également important d'accorder le même niveau d'attention aux deux enfants. Même s'il est naturel de s'occuper davantage de l'enfant le plus jeune qui pourrait avoir besoin d'aide, n'oubliez pas d'encourager l'autre enfant.

**214**

# BASKET POUR DÉBUTANTS

## UN DES JEUX FAVORIS DES TOUT-PETITS

**R**ASSEMBLEZ QUELQUES ballons de grosseur moyenne et placez-les dans un grand contenant comme un panier à linge, une boîte de carton ou un bol en plastique. Montrez à votre enfant comment jeter les ballons hors du contenant, puis comment insérer les ballons un à un dans le panier. Pour commencer, votre tout-petit se contentera peut-être de mettre les ballons dans le panier et de les sortir. Lorsqu'il sera prêt, faites-le reculer et demandez-lui de lancer les ballons dans le panier. Augmentez la complexité du jeu en plaçant quelques contenants dans la pièce, puis encouragez votre athlète à choisir un contenant différent pour cible à chaque lancer.

**TOUT CE DONT VOTRE JEUNE DRIBBLEUR A BESOIN** pour pratiquer sa coordination œil-main et ses habiletés motrices, c'est d'un ballon et d'un panier, et bien sûr d'un entraîneur enthousiaste !

### HABILETÉS

**Lorsque votre enfant** *se pratique à atteindre la cible, il améliore sa coordination œil-main et ses mouvements globaux. De plus, si vous comptez les ballons à voix haute lorsque votre enfant les lance dans les contenants, vous l'aiderez à se familiariser avec le monde des chiffres. Lorsque votre enfant lance le ballon dans un panier ou dans votre direction, participez en lui relançant doucement le ballon et en l'encourageant à franchir une autre étape (plus difficile) fondamentale, soit celle consistant à attraper le ballon.*

✔ **Coordination œil-main**

✔ **Mouvements globaux**

✔ **Habiletés sociales**

**215**

# MALBROUGHS'EN VA-T-EN GUERRE

## DES CHANTS ET DES GESTES

### HABILETÉS

**Votre tout-petit** commence à se faire une idée plus précise de lui-même face à sa relation avec l'espace. Ce jeu chanté, tout en étant amusant à pratiquer avec un parent, permet à votre enfant d'apprendre la signification de mots qui ont rapport à l'espace comme en haut, en bas, et par-dessus. Votre enfant est peut-être encore un peu trop jeune pour faire la différence entre sa droite et sa gauche, mais il saura néanmoins que ces mots font référence à autre chose que tout droit.

| Développement de la notion de concept | ✔ |
| Développement du langage | ✔ |
| Relation spatiale | ✔ |

SI VOTRE ENFANT AIME CETTE ACTIVITÉ, essayez aussi *Tchou, tchou, voici le train,* en page 220. ▶

**L**A COMPRÉHENSION DES CONCEPTS d'espace et de mouvement chez les jeunes enfants se fait lentement, mais sûrement, au fil du temps. Si votre enfant aimait s'asseoir sur vos genoux pour écouter des chansons quand il était bébé, il raffolera de cette version plus évoluée qui lui enseignera quelques-unes des façons dont il peut bouger.

• Comme pour tous les jeux comportant des chansons, il est important de prononcer clairement et d'insister sur les mouvements correspondant aux paroles, car ils enseignent à votre enfant la signification des mots les plus importants. Cette façon de faire donne plus de dynamisme et d'intensité à la chanson et rend l'activité plus intéressante, tant pour l'enfant que pour vous.

• Quand votre enfant sera un peu plus âgé, il pourra chanter cette chanson debout plutôt qu'assis sur vos genoux. Essayez de marcher durant le premier couplet, puis étirez-vous et accroupissez-vous pendant le deuxième couplet. Au troisième couplet, déposez l'enfant au sol sur son dos, puis déplacez légèrement ses jambes vers la gauche, vers la droite, puis vers le haut.

**216**

18 MOIS 1½ ET PLUS

**CETTE CHANSON AMUSANTE,** agrémentée par les mouvements dynamiques de maman, habitue votre petit soldat à s'asseoir et à se relever.

**Malbrough s'en va-t-en guerre,**
**Mironton, mironton, mirontaine,**
**Malbrough s'en va-t-en guerre,**
**Ne sais quand reviendra.**
*Faites sauter l'enfant, assis dos*
*à vous, sur vos genoux*

**Il reviendra-z-à Pâques,**
**Mironton, mironton, mirontaine,**
**Il reviendra-z-à Pâques,**
**Ou à la Trinité.**
*Soulevez vos jambes avec l'enfant*
*sur vos genoux*

**La Trinité se passe,**
**Mironton, mironton, mirontaine,**
**La Trinité se passe,**
**Malbrough ne revient pas.**
*Abaissez les jambes avec l'enfant*
*sur vos genoux*

**Madame à sa tour monte,**
**Mironton, mironton, mirontaine,**
**Madame à sa tour monte,**
**Si haut qu'elle peut monter.**
*Soulevez les jambes*

**Elle voit venir son page,**
**Mironton, mironton, mirontaine,**
**Elle voit venir son page,**
**Tout de noir habillé.**
*Laissez retomber vos jambes*

**Aux nouvelles que j'apporte,**
**Mironton, mironton, mirontaine,**
**Aux nouvelles que j'apporte,**
**Vos yeux s'illuminés.**
*Soulevez les jambes à moitié*
*et faites une pause*

**Portez vos habits roses,**
**Mironton, mironton, mirontaine,**
**Portez vos habits roses,**
**Et vos satins brodés.**
*Bougez vos jambes rapidement*
*vers le haut, puis vers le bas*

**Malbrough est de retour,**
**Mironton, mironton, mirontaine,**
**Malbrough est de retour,**
**Et très heureux de rentrer.**
*Allongez-vous sur le dos*
*avec l'enfant par-dessus vous.*

**217**

# DU PLAISIR À PLEIN TUBE

## OÙ DONC EST PASSÉE LA BALLE ?

### HABILETÉS

**À l'âge de dix-huit mois,** *il sera captivé par les balles et les tours de magie, et ce même à répétition. Cependant, les bienfaits de cette activité vont au-delà du plaisir et du jeu. Laisser tomber des balles dans un tube, puis les attraper (ou essayer) exerce les habiletés motrices fines ainsi que la coordination œil-main. Alternez avec votre enfant en vous plaçant à tour de rôle à une des extrémités du tube, soit pour lancer soit pour attraper la balle. Cette activité développe le sens du partage. Si vous utilisez des balles de différentes tailles, votre petit s'habituera à trier les formes dans son esprit.*

| | |
|---|---|
| **Cause et effet** | ✔ |
| **Habiletés motrices fines** | ✔ |
| **Distinction des grandeurs et des formes** | ✔ |

### FAITES-LE VOUS MÊME

Procurez-vous des tubes de différentes grandeurs dans une quincaillerie, un centre d'artisanat et de bricolage, une galerie d'art, une boutique spécialisée dans la photo ou au bureau de poste. N'importe quelle balle molle pouvant entrer dans le tube fera l'affaire, qu'il s'agisse de balles de tennis, de balles de racquetball ou simplement de balles en tissu, en caoutchouc souple ou en mousse.

**L**A BALLE EST INSÉRÉE DANS UNE EXTRÉMITÉ et ressort par l'autre. Simple comme bonjour pour des adultes, mais pour un tout-petit, c'est l'équivalent du jeu de cache-cache avec une balle et vous parviendrez à coup sûr à intriguer et à amuser votre enfant. Même lorsqu'il aura solutionné le mystère « Où est passée la balle ? Tiens, la voilà ! », il voudra recommencer à jouer, encore et encore.

• Pour commencer, utilisez un grand tube en plastique ou en carton et faites provision de balles de tennis, de racquetball ou autres balles de texture molle. Insérez les balles à une extrémité du tube et inclinez-le afin qu'elles y descendent, puis demandez à votre tout-petit de les récupérer à l'autre extrémité. Répétez l'exercice à plusieurs reprises et demandez à l'enfant de venir prendre votre place à l'autre extrémité.

• Augmentez le niveau de difficulté de l'exercice en utilisant des balles de différentes grosseurs. Quelles sont celles qui entrent dans le tube ? Quelles sont celles qui n'y entrent pas ? Assurez-vous de choisir des balles qui comportent un diamètre d'au moins 4,5 cm afin qu'elles ne présentent aucun risque d'étouffement.

• Cette activité peut devenir un exercice de coordination si vous demandez à l'enfant d'attraper la balle quand elle tombe du tube. Restez debout pendant qu'il attend l'arrivée de la balle à l'autre extrémité du tube, puis essaie de la saisir. Plus la balle est petite, plus le défi est grand.

SI VOTRE ENFANT AIME CETTE ACTIVITÉ, essayez aussi *Basket pour débutants*, en page 215.

18 MOIS
$1\frac{1}{2}$
ET PLUS

**UN TUBE TRANSPARENT** permet à votre enfant de regarder les balles voyager d'un bout à l'autre du tube et un tube opaque ajoutera un élément de surprise au jeu.

**219**

# TCHOU, TCHOU, VOICI LE TRAIN

## UNE PROMENADE EN TRAIN DES PLUS RYTHMÉE

*Asseyez-vous face à votre enfant et tenez ses mains*

**Tchou, tchou, voici le train,**
**Qui s'amène sur le rail,**
**Il s'avance vers nous,**
**Puis s'en va et fait bye, bye.**
*Tirez une des mains de l'enfant vers vous tout en poussant l'autre vers votre enfant et alternez*
**La cloche du train sonne,**
**Ding, ding, ding, ça résonne !**
*Faites sonnez une cloche imaginaire*

**Et voici le sifflet,**
**Comme celui d'un hibou,**
**Qui fait Hou, hou, hou.**
*Faites semblant de tirer une corde pour actionner le sifflet*

**Ce train fait beaucoup de bruit,**
*Mettez vos mains sur vos oreilles*
**Dans tous les coins du pays.**

**Développemt du langage** ✓

**Exploration du rythme** ✓

**L**ES TOUT-PETITS N'ONT pas besoin de mélodie pour sentir le rythme, car ils sont capables d'improviser des rythmes à partir d'un simple chant. Lorsque vous ajoutez des rimes et des mouvements amusants à un exercice ayant pour thème le train et un parent enthousiaste, vous avez en main une activité qui occupera toute l'attention de votre enfant et lui procurera des heures de plaisir.

• Lorsque vous chantez « Tchou, tchou, voici le train » créez un rythme pour que votre enfant puisse l'entendre et l'imiter avec son corps. Incitez-le à exécuter les mouvements. Si vous faites des mouvements exagérés, votre joyeux conducteur en herbe comprendra plus aisément la signification des mots accompagnant l'exercice.

CETTE SÉANCE DE CHANT enseigne à votre enfant comment sentir un rythme, « faire siffler le train » et bouger vers l'avant et vers l'arrière.

# DES TEXTURES INVITANTES

18 MOIS
$1\frac{1}{2}$
ET PLUS

## UN LIVRE REMPLI DE SENSATIONS

**I**L EST DÉJÀ DÉTERMINÉ à toucher à tout ce qu'il voit (et à fouiller à l'intérieur comme à l'extérieur), y compris une bonne cuillerée de confiture, des mouches mortes et des grains de céréales datant de plusieurs mois. Laissez-le explorer le monde avec ses mains de façon sécuritaire en lui offrant un livre qui lui procurera des sensations tactiles. Il s'agit d'un livre que vous pourrez acheter ou confectionner vous-même.

• Pour fabriquer un livre de textures, rassemblez différentes matières comme du tissu, de la toile de jute, du papier d'aluminium, du papier ciré et des films à bulles d'air. Collez un gros morceau de chacune des matières sur du carton ou du papier de bricolage et reliez les feuilles ensemble.

• Lorsque vous regardez le livre avec votre tout-petit, décrivez tous deux les différentes sensations que vous éprouvez en touchant aux textures.

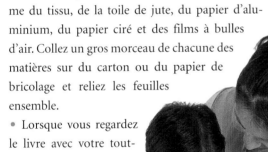

### HABILETÉS

**Un livre de textures** *permettra à votre enfant de découvrir une grande diversité de matières et contribuera à lui faire comprendre des concepts comme rude, doux, bosselé et même mou. Ce livre donnera également à votre tout-petit l'occasion d'exprimer ses préférences. Aime-t-il la sensation de rugosité de la toile de jute ou préfère-t-il celle du papier d'aluminium qui se froisse?*

✔ **Développement du langage**

✔ **Distinction visuelle**

✔ **Stimulation tactile**

**LES PAGES D'UN LIVRE** fabriquées avec des textures inhabituelles comme du papier de verre fin ou de la fausse fourrure permettent à votre enfant d'explorer le monde en toute sécurité, bien installé sur vos genoux.

**221**

# LA MAGIE DES AIMANTS

## S'AMUSER AVEC DES JOUETS QUI COLLENT

### HABILETÉS

**Saisir et déplacer** des aimants favorise le développement des habiletés motrices fines, celles dont votre enfant aura besoin pour dessiner, terminer un casse-tête, attacher des boutons, et éventuellement écrire. Parler de ces mystérieux aimants l'aide à apprendre à différencier les couleurs et les grandeurs et contribue à l'enrichissement de son vocabulaire. De plus, faire « disparaître » un aimant exerce sa mémoire visuelle.

**FAITES-LE VOUS-MÊME**

Fabriquez des aimants personnalisés en collant des photos de membres de votre famille sur des aimants plats et bon marché. Vous pouvez également vous servir de photos, de dessins ou d'images provenant de revues illustrant les animaux préférés de votre enfant. Les magasins d'équipement photographique vendent également des cadres aimantés.

| | |
|---|---|
| Concepts de comptage | ✔ |
| Habiletés motrices fines | ✔ |
| Distinction des grandeurs et des formes | ✔ |
| Mémoire visuelle | ✔ |

**B**EAUCOUP D'ENFANTS démontrent leur dextérité manuelle en retirant des aimants collés sur la porte du réfrigérateur, puis se vantent de leur découverte. Vous aurez encore plus de plaisir en utilisant les aimants dans différents jeux faisant appel aux yeux, à la mémoire et aux doigts curieux de votre enfant.

• Rassemblez plusieurs aimants de couleur et placez-les sur une plaque à biscuits en métal (veuillez noter que les aimants n'adhèrent pas aux feuilles d'aluminium). Utilisez des aimants comportant des images d'objets que votre tout-petit apprécie, comme des animaux, des fleurs, de la nourriture, des personnages de contes, des chiffres et des véhicules. Assurez-vous d'éviter l'utilisation d'aimants dont le diamètre est inférieur à 4,5 cm, qui présentent des risques d'étouffement. L'aimant doit également être muni d'une bordure bien définie afin que votre enfant puisse le prendre facilement.

• Demandez à votre enfant de retirer les aimants de la plaque, puis de les remettre. Parlez-lui des couleurs, des grandeurs et des personnages apparaissant sur les aimants. Encouragez-le à les changer de place pour créer son propre design. S'il s'agit d'un enfant plus âgé, essayez de retirer un aimant de la plaque et demandez-lui quel aimant est manquant.

SI VOTRE ENFANT AIME CETTE ACTIVITÉ, essayez aussi *Des textures invitantes*, en page 221.

**VOTRE TROTTINEUR EST EN-CORE TROP JEUNE** pour comprendre le phénomène d'attraction magnétique, mais le fait d'apprendre que certains objets peuvent adhérer à une plaque à biscuits constituera les tous premiers pas de votre enfant dans l'univers des sciences.

**223**

# OUVRE-LES! FERME-LES!

## CHANSONS ET RIMES AMUSANTES

**Ouvre-les, puis ferme-les bien,**
*Ouvrez et fermez les poings*
**Ouvre-les, puis ferme-les bien,**
**Et tape, tape, tape dans tes mains.**
*Tapez trois fois dans vos mains*

**Ouvre-les, puis ferme-les bien,**
*Ouvrez et fermez les poings*
**Ouvre-les, puis ferme-les bien,**
**Et donne trois petits coups sur tes genoux.**
*Donnez trois petits coups sur vos genoux*

**Fais-les ramper, fais-les grimper,**
**Fais les grimper lentement,**
**Jusqu'à ton menton, ton, ton.**
*Faites marcher vos doigts de la poitrine au menton tout en chatouillant l'enfant*

**Ouvre bien grand ta petite bouche,**
*Touchez vos lèvres avec un doigt*
**Mais ne laisse pas tes mains, dedans.**
*Faites courir vos doigts jusqu'aux genoux, tout en chatouillant l'enfant.*

| Expression créatrice | ✔ |
|---|---|
| Habiletés motrices fines | ✔ |
| Développement du langage | ✔ |

**L**ES TOUT-PETITS AIMENT BEAUCOUP leur corps et les noms des différentes parties de leur corps. Ils adorent également les jeux où il y a des chatouillements et des surprises. Cette chanson donne à votre enfant l'occasion de montrer sa connaissance de son propre corps, et du même coup de jouer à la petite bébête qui monte et qui chatouille.

• Commencez en faisant une démonstration des mouvements accompagnant la chanson sur vous-même et voyez si votre enfant va suivre. S'il semble mêlé, faites les mouvements sur lui plutôt que sur vous jusqu'à ce qu'il soit en mesure de vous imiter.

**VOTRE ENFANT** aimera jouer au jeu de la petite bébête qui monte avec ses doigts, surtout si maman participe activement à l'exercice.

# ATTRAPER UN BALLON DE PLAGE

## UNE PARTIE DE BALLON CLASSIQUE

**L**A PLUPART DES TOUT-PETITS sont capables de lancer un ballon avant de pouvoir en attraper un. Cependant, ils aiment entourer un ballon lancé dans les airs avec leurs petits bras et avec une bonne dose de patience et de pratique, vous parviendrez à enseigner à votre enfant comment attraper un ballon. Commencez par faire rouler un ballon dans sa direction et demandez-lui de vous le retourner (voir *Lance le ballon*, en page 152). Lorsque le petit est prêt à essayer d'attraper le ballon, utilisez un ballon de plage légèrement désouflé (ce sera plus facile pour lui de le saisir avec ses petites mains).

• Agenouillez-vous ou asseyez-vous à quelques mètres de distance et demandez-lui de vous lancer le ballon. Montrez-lui comment l'attraper, puis lancez-lui le ballon et demandez-lui de l'attraper. Une fois qu'il y sera parvenu (il faudra beaucoup de pratique), augmentez peu à peu la distance entre vous et l'enfant.

**VOTRE ENFANT** comprendra plus facilement si vous lui montrez comment saisir le ballon avant de le lui lancer.

## HABILETÉS

**Jouer au ballon** *avec un jeune enfant est un exercice de socialisation simple et amusant qui favorise le développement des mouvements globaux et la coordination œil-main. Attraper correctement le ballon exige des réflexes rapides et une conscience de la relation spatiale, ce que votre enfant pourrait prendre un certain temps à acquérir. En l'encourageant avec enthousiasme dans ses efforts, vous lui enseignerez le plaisir de participer à un jeu de façon non compétitive.*

✔ **Coordination œil-main**

✔ **Mouvements globaux**

✔ **Habiletés sociales**

**225**

# UN JEU D'ÉQUILIBRE

## EXERCICE SUR UNE PLANCHE D'ÉQUILIBRE

### HABILITÉS

**Les planches d'équilibre,** *les bûches et les murets présentent un attrait irrésistible pour un jeune enfant curieux. Pendant qu'elle s'exerce à marcher le long de la planche, elle développe son équilibre et améliore sa coordination œil-pied, habiletés qui lui permettront de passer de la marche à la course, au saut à la corde et peut-être, éventuellement, à des prouesses en gymnastique.*

| | |
|---|---|
| **Équilibre** | ✓ |
| **Coordination œil-pied** | ✓ |
| **Relation spatiale** | ✓ |

SI VOTRE ENFANT AIME CETTE ACTIVITÉ, essayez aussi *Une activité empreinte de plaisir,* en page 241.

ESSAYER DE GARDER SON ÉQUILIBRE SUR des passerelles étroites est une activité naturelle et universelle chez les jeunes enfants et vous n'aurez sans doute pas beaucoup de difficultés à intéresser votre fillette à ce jeu. Vous trouverez des planches suffisamment basses pour que l'enfant puisse y marcher en toute sécurité, dans les gymnases et les terrains de jeux. Montrez-lui comment la traverser et tenez-lui la main pendant qu'elle marche lentement sur la planche.

• Si votre enfant est hésitante, placez un jouet à l'extrémité de la planche et encouragez votre gymnaste en herbe à tenir votre main et à s'aventurer sur la planche pour aller chercher le jouet. Assurez-vous de pratiquer cet exercice d'équilibre sur une surface douce ou coussinée.

SA DÉMARCHE SERA PLUS SÛRE en peu de temps, si son entraîneur préféré est à ses côtés pour l'encourager.

**226**

24 MOIS
2
ET PLUS

# SPECTACLE DE MARIONNETTES

## UN SPECTACLE DU BON VIEUX TEMPS

**L**ES ENFANTS ADORENT LES MARIONNETTES, car ce sont des jouets qui semblent prendre vie comme par enchantement. Votre enfant s'amusera ferme si vous lui présentez une comédie burlesque. Achetez quelques marionnettes à l'allure extravagante ou utilisez des crayons à pointe de feutre aux couleurs vives et dessinez un visage sur une chaussette ou un sac. Vous pouvez aussi coller des oreilles ou des cornes sur votre marionnette maison et utiliser du fil pour lui confectionner une chevelure.

• Fabriquez-vous une scène en recouvrant l'arrière d'une chaise ou une barrière de sécurité d'une couverture ou installez-vous derrière un sofa. Racontez des histoires et chantez des chansons à vos enfants en utilisant une ou deux marionnettes et prenez une voix différente pour personnifier chacune de ces marionnettes.

• Posez des questions à votre enfant et encouragez-le à converser avec les marionnettes. Demandez-lui quels sont ses aliments et ses jouets préférés ou posez-lui des questions sur son papa et sa maman. Demandez-lui d'indiquer son nez ou ses orteils à la marionnette, car les tout-petits adorent pointer du doigt les parties de leur corps.

### HABILETÉS

**À partir de l'âge de deux ans,** *votre enfant attribuera toutes sortes de caractéristiques humaines à ses jouets, qu'il considère comme ses meilleurs amis. En faisant agir les marionnettes comme des humains, vous stimulerez son imagination et en lui racontant des histoires et en discutant avec lui, vous accélérerez la progression de son aptitude à tenir une conversation.*

✔ **Imagination**

✔ **Développement du langage**

✔ **Habiletés sociales**

UNE GROSSE GRENOUILLE BIEN DODUE
et un canard à pois multicolores peuvent échanger
des histoires fort amusantes avec leur petit
ami humain.

**227**

# PROMENADES EN TRAIN

## UNE LOCOMOTIVE IMAGINAIRE

### HABILETÉS

**En pratiquant cette activité,** *votre petit voyageur améliorera la coordination des muscles du haut de son corps et apprendra à bouger en suivant le rythme d'une chanson. Dans le rôle de passagère petit format, elle développera la coordination de tout son corps de même que son équilibre, car il n'est pas facile de rester assis sur maman tout en se tordant de rire et en remuant comme un ver. Ce jeu de rôle stimule également l'imagination.*

| | |
|---|---|
| **Coordination** | ✔ |
| **Mouvements globaux** | ✔ |
| **Imagination** | ✔ |
| **Habiletés sociales** | ✔ |

**Q**UOI DE MIEUX POUR CANALISER LES ÉNERGIES fumantes de votre bambine qu'une promenade en train imaginaire? Annoncez la destination («Premier arrêt, les genoux de maman», faites semblant d'actionner le sifflet («Hou, hou!»), puis invitez-la à s'asseoir sur vos genoux. Pendant que vous chantez «Je me promène en train, tchou, tchou, avec mon chouchou sur mes genoux», faites tourner ses mains comme s'il s'agissait des roues du train ou aidez-la à siffler. Vous pouvez conduire le train à tour de rôle et arrêter un peu partout dans la maison («Prochain arrêt, ta chambre», alors que votre enfant joue le rôle de la locomotive, et vous, celui du wagon de queue.

• Faites semblant de négocier les courbes en inclinant vos corps d'un côté, puis de l'autre. Traversez des tunnels (n'oubliez pas de baisser la tête) et arrêtez de temps à autre pour laisser descendre des passagers aux différentes gares.

• Chantez une chanson ayant rapport aux trains ou celle dont les paroles sont indiquées en page 220 pendant que vous roulez ensemble autour de la maison.

• Afin que votre enfant s'intéresse aux trains et apprécie encore plus cette activité, faites-lui visiter une véritable gare ou prenez le métro et montrez à votre jeune conductrice à quoi ressemble la conduite sur des voies ferrées.

SI VOTRE ENFANT AIME CETTE ACTIVITÉ, essayez aussi *Au volant du camion d'incendie*, en page 250.

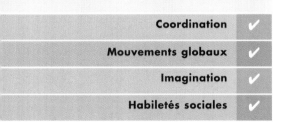

**228**

« Hou ! Hou ! Tout le monde à bord ! »

**ELLE AMILIORERA**
ses capacités locomo-
trices et dépensera une
bonne dose d'énergie en
participant à ce jeu dynamique,
bien installée sur vos genoux.

**229**

# SACRÉ « NON » !

**L**A **TRANSFORMATION** de leurs petits enfants débonnaires et toujours souriants en bambins d'humeur inégale dont le mot préféré semble être non comme dans «non, je ne veux pas de banane; non, je ne prends pas mon bain; non je ne veux pas chanter, etc.», même si l'enfant n'a jamais tiqué auparavant, constitue l'une des surprises les plus désarmantes pour de nouveaux parents. Comme l'écrivait le docteur Benjamin Spock dans son ouvrage *Comment soigner et éduquer son enfant,* «Lorsque vous leur proposez une activité qui ne les intéresse pas, ils se sentent obligés de s'affirmer». Les psychologues ont baptisé ce comportement: «négativisme».

Tout en admettant que cet épisode de négativisme avait de quoi mettre à l'épreuve les nerfs des parents les plus patients, Spock notait également que cette étape importante représentait un signal à l'effet que les enfants sont sur la voie de l'autonomie et deviennent petit à petit des êtres humains autonomes, capables de penser et de décider par eux-mêmes.

L'une des meilleures choses à faire durant cette période consiste à rester calme, coopératif et raisonnable avec votre tout-petit. Celui-ci apprendra à réagir de la même façon que vous, mais il faut parfois beaucoup de temps pour y parvenir.

D'ici à ce qu'il acquiert une certaine maîtrise de soi, vous devrez vous attendre à des accès de colère lorsque les choses ne seront pas à son goût. Il vaut mieux ignorer sa réaction, si possible, car il s'apercevra que cette façon d'agir ne lui permet pas d'obtenir ce qu'il veut. Dans son ouvrage *Raising Good Children,* le psychologue en développement humain Thomas Lickona conseille aux parents de garder les enfants heureux et occupés, de les distraire lorsqu'ils sont agités et de leur accorder de longues périodes de jeu libre dans des endroits sécuritaires. Il recommande aussi de compter, par exemple: «Es-tu capable de t'asseoir sur cette chaise avant que je sois rendu à dix?» Ces manœuvres peuvent sembler anodines aux adultes, mais elles sont d'une grande efficacité pour donner à un tout-petit têtu la mesure du contrôle et de la liberté qu'il désire tant.

**230**

# UN PETIT TOUR DE PONEY

24 MOIS
2
ET PLUS

## AU PETIT TROT DANS LA SALLE DE SÉJOUR

**V**OTRE PETITE FILLE EST FASCINÉE par des images de chevaux, mais éprouve une certaine crainte face au véritable animal. Proposez-lui une activité qui exercera son équilibre en lui faisant faire un tour de poney, rôle que vous incarnerez. Installez-vous à quatre pattes sur les genoux et laissez votre enfant monter sur votre dos ou sur vos épaules. Assurez-vous qu'elle se tient fermement et soyez prêt à saisir sa jambe si elle commence à glisser.

• Si vous désirez ajouter de la musique à cette activité, chantez : « À cheval » (voir *Chansons à écouter sur des genoux confortables*, en page 178, pour les paroles) ou une autre des chansons préférées de votre fillette, pendant que vous faites le tour de la pièce. Pour aider votre enfant à appendre à maintenir son équilibre, abaissez le haut de votre corps au sol, puis soulevez-le (mais pas trop haut), ou remuez d'un côté à l'autre.

## HABILETÉS

**Un enfant de deux ans** *est capable de bien marcher, c'est certain. Toutefois, cela ne veut pas dire que son équilibre soit complètement développé. Pendant que vous vous promenez à quatre pattes dans la maison, votre enfant apprend comment trouver et conserver son centre de gravité. Elle exercera également son imagination en faisant semblant qu'elle monte un joli poney ou peut-être un coursier fougueux.*

✔ **Équilibre**

✔ **Mouvements globaux**

✔ **Imagination**

**HUE PAPA !** Vous pouvez commencer à donner des leçons d'équitation à votre petite cavalière en vous transformant en poney dans votre salle de séjour.

**231**

# DE LA TÊTE AUX PIEDS

## LES PARTIES DU CORPS EN CHANSON

*Touchez la partie du corps dont vous chantez le nom avec vos deux mains*

**Tête, épaules, genoux, orteils,
Genoux, orteils !
Genoux, orteils !**

**Tête, épaules, genoux, orteils,
Yeux, nez, bouche, oreille.**

**Tête, épaules, genoux, orteils,
Genoux, orteils !
Genoux, orteils !**

**Tête, épaules, genoux, orteils,
Yeux, nez, bouche, oreille.**

| | |
|---|---|
| **Conscience de son corps** | ✔ |
| **Mouvements globaux** | ✔ |
| **Capacité d'écoute** | ✔ |
| **Exploration du rythme** | ✔ |
| **Mémoire visuelle** | ✔ |

**V**OUS VOUS SOUVENEZ peut-être d'avoir chanté cette chanson dans un camp de vacances, à l'école ou avec vos amis ou parents quand vous étiez tout-petit. C'est une chanson formidable pour aider les tout-petits à apprendre et à se souvenir des noms des différentes parties de leur corps.

- Chantez : « tête, épaules, genoux, orteils » à votre enfant et placez vos deux mains sur les parties de votre corps correspondant aux paroles de l'exercice.

- Répétez la chanson en augmentant chaque fois le rythme. Vous vous tromperez sûrement et serez légèrement essoufflés à la fin, mais ça fait partie du plaisir !

- Votre enfant a-t-il de la difficulté à suivre ? Essayez de toucher à son corps pendant que vous chantez pour l'aider à comprendre le lien entre les mots et les mouvements.

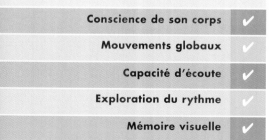

SI VOTRE ENFANT AIME CETTE ACTIVITÉ, essayez aussi *Rondes*, en page 234.

**232**

**TOUCHER À SES ORTEILS**
en suivant la musique aide votre enfant à se familiariser avec les différentes parties de son corps et à sentir le rythme.

## RAPPORT DE RECHERCHE

**Non seulement la musique adoucit-elle** *les mœurs, mais elle semble également élever l'esprit. En 1993, le physicien Gordon Shaw et le psychologue Frances Rauscher faisaient les manchettes des journaux dans le monde entier avec un projet de recherche révélant que des collégiens qui avaient fait l'audition de la sonate pour deux pianos en ré majeur, K 448 de Mozart pendant dix minutes avant de passer un test de raisonnement abstrait-visuel ont amélioré leur résultat de huit ou neuf points. Cette découverte, ainsi que d'autres études ont impressionné les législateurs de la Floride au point où ils ont promulgué la loi 660, surnommée «Beethoven's babies law» en 1998, qui oblige les garderies qui reçoivent des fonds de l'État à exposer les enfants à trente minutes de musique classique chaque jour. Bien que «Tête, épaules, genoux et orteils» soit à cent lieues de la musicalité de Mozart, Rauscher croit que toute musique complexe (qu'il s'agisse de classique, de jazz ou de rock) est susceptible d'augmenter le développement du cerveau.*

**233**

# RONDES

**C**ES ÉTERNELLES FAVORITES constituent un excellent choix lorsque votre tout-petit a envie de bouger. Le principal avantage de cet exercice, c'est la camaraderie et le plaisir de tourner en rond, de chanter et de se tenir par la main avec papa et maman ou avec quelques bons amis.

## TOUT AUTOUR
### (sur l'air de Sur le pont d'Avignon)

**Tout autour de la grange**
**On y danse, on y danse,**
*Tenez-vous les mains et marchez en cercle*
**Tout autour de la grange**
**On y danse, tout en rond.**

**Les poches pleines de bouquets,**
**On s'emmêle dans nos lacets.**
*Laissez-vous tomber par terre*
*Demeurez assis en cercle*
**Les vaches sont dans le pré,**
**Elles sont en train de brouter,**
*Faites semblant de manger*
**Et maintenant le tonnerre gronde,**
*Frappez le sol avec les mains*
**Allez, vite debout tout le monde !**
*Levez-vous rapidement*

## RON, RON MACARON

**Ron, ron macaron.**
**Ma petite sœur, ma petite sœur.**
*Tenez-vous les mains et marchez en cercle*

**Ron, ron macaron.**
**Ma petite sœur dans la maison.**
*Tournez en sens inverse*

**Ron, ron macaron.**
**Mon petit frère, mon petit frère.**
*Tournez en sens inverse*

**Ron, ron macaron.**
**Mon petit frère qui tourne en rond.**
*Tournez en sens inverse*

**Fais ceci, fais cela.**
**APITCHOUM !**
*Tout le monde se laisse tomber par terre*

## RONDIN PICOTIN,

*Tenez-vous les mains et marchez en cercle*
**La Marie a fait son pain,**
**Pas plus haut que son levain,**
*Sautez avec les bras allongés vers le ciel*
**Son levain était moisi,**
**Son pain n'a pas réussi,**
**Tant pis !**
*Tenez-vous les mains et marchez en cercle*
**Elle se tape dans les mains**
**et recommencera demain.**
*Tapez dans vos mains.*

## IL COURT, IL COURT, LE FURET

**Il court, il court, le furet.**
*Tenez-vous les mains et courez en cercle*
**Un gros singe lui court après,**
**Le singe croyait qu'il s'amusait,**
**Il court et tombe, le furet !**
*Sautez, puis laissez-vous*
*tomber par terre*

DEBOUT PARTERRE TOUT
AUTOUR : les rondes permettent
à votre tout-petit de bouger et de
tourner sur des airs entraînants en
tenant les mains d'autres enfants,
de façon fraternelle.

**235**

# ÉCHARPES VOLANTES

## À LA POURSUITE DU TISSU VOLANT

### HABILETÉS

**Un enfant de deux ans** *est biologiquement porté à pratiquer des mouvements globaux de toutes sortes comme courir, donner des coups de pied, sauter et rouler. Cette activité lui procurera un nouvel objet à lancer et à attraper: une écharpe flottante en soie, aussi captivante à regarder, qu'amusante à toucher.*

| | |
|---|---|
| **Coordination œil-pied** | ✔ |
| **Coordination œil-main** | ✔ |
| **Mouvements globaux** | ✔ |

**V**OTRE TOUT-PETIT EST PEUT-ÊTRE PARVENU à attraper relativement bien un ballon qui roule, un couvercle de plastique qui remue ou le chat de la maison. Voilà maintenant un défi passablement différent qui mettra à l'épreuve sa coordination œil-main. Rassemblez quelques écharpes légères aux couleurs vives, chiffonnez-les dans votre main et lancez-les haut dans les airs. Demandez à votre enfant d'essayer de les attraper alors qu'ils flottent et virevoltent en direction du sol. Après quelques séances de ce jeu, laissez-le lancer quelques-unes des écharpes pendant que vous tentez de les attraper au vol à votre tour. Quand il sera un peu plus âgé, encouragez-le à tourner autour ou à taper des mains avant d'attraper les écharpes.

CUEILLIR UN ARC-EN-CIEL de couleurs dans les airs est stimulant sur le plan visuel et représente un défi amusant au niveau de la coordination physique.

# DRELIN, DRELIN

24 MOIS · 2 · ET PLUS

## S'AMUSER AVEC UN TÉLÉPHONE

**L** **ES TOUT-PETITS** sont attirés vers les téléphones comme les ours vers le miel. Plutôt que d'avoir à surveiller et éloigner votre enfant de deux ans de votre téléphone sans fil programmé avec minutie, procurez-lui le sien. Vous pouvez utiliser un vieil appareil qui ne sert plus ou acheter un téléphone-jouet de fantaisie (certains sont même munis de touches qui émettent une tonalité!).

Encouragez-le à s'en servir en tenant le récepteur sur son oreille et en posant des questions simples comme: «quel est ton nom?», «que fais-tu aujourd'hui?» ou «est-ce que je peux parler à ton papa, s'il-te-plaît?».

« ALLÔ, C'EST CHRISTINE! Peux-tu venir nous voir aujourd'hui? » Un appel imaginaire à grand-papa ou à tante Mado aide votre enfant, dont la sociabilité est en éveil, à se familiariser avec l'art de la conversation et ses échanges.

### HABILETÉS

**Apprendre à tenir une conversation,** *même si elle est imaginaire, aide votre enfant à pratiquer ses habiletés langagières et sociales en plein essor. Cette activité représente également une bonne occasion d'initier l'enfant aux règles élémentaires de politesse au téléphone: («puis-je savoir qui appelle, s'il-vous-plaît?» ou «ça va bien, et vous?» avant que votre téléphoniste en herbe ne commence à répondre au téléphone.*

✔ **Expression créatrice**

✔ **Développement du langage**

✔ **Concept de soi**

✔ **Habiletés sociales**

SI VOTRE ENFANT AIME CETTE ACTIVITÉ, essayez aussi *Dialogue avec une poupée,* en page 258.

**237**

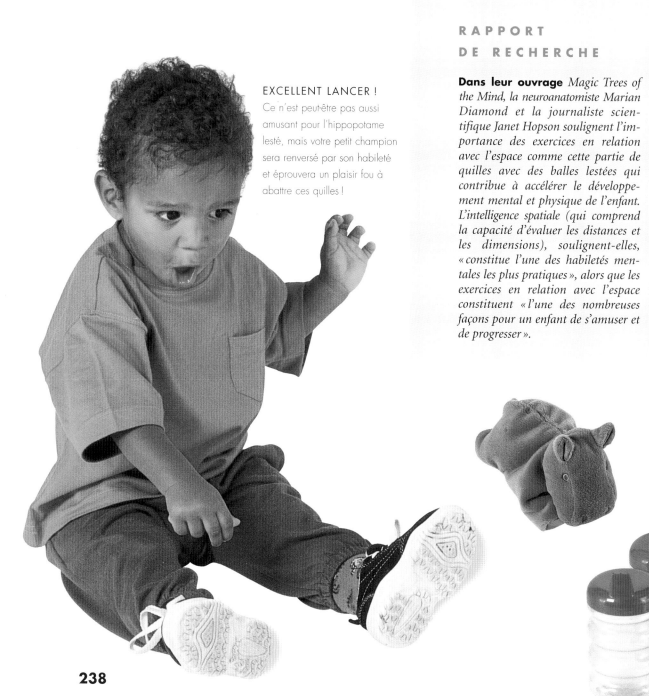

## EXCELLENT LANCER !

Ce n'est peut-être pas aussi
amusant pour l'hippopotame
lesté, mais votre petit champion
sera renversé par son habileté
et éprouvera un plaisir fou à
abattre ces quilles !

**Dans leur ouvrage** *Magic Trees of
the Mind*, *la neuroanatomiste Marian
Diamond et la journaliste scien-
tifique Janet Hopson soulignent l'importance des exercices en relation
avec l'espace comme cette partie de
quilles avec des balles lestées qui
contribue à accélérer le développement mental et physique de l'enfant.
L'intelligence spatiale (qui comprend
la capacité d'évaluer les distances et
les dimensions), soulignent-elles,
« constitue l'une des habiletés mentales les plus pratiques », alors que les
exercices en relation avec l'espace
constituent « l'une des nombreuses
façons pour un enfant de s'amuser et
de progresser ».*

# PARTIE DE QUILLES
# AVEC BALLES LESTÉES

## INITIATION AU LANCER

**Q**U'IL S'AGISSE DE RETIRER sa fourchette du plateau de sa chaise haute ou de prendre un disque compact sur une tablette, votre tout-petit adore déplacer des objets et observer ce qui se produit (et bien souvent, votre réaction). Il s'agit pour les enfants de la voie naturelle pour s'initier à la notion de cause et d'effet. C'est également l'occasion de découvrir des concepts comme la gravité et la force (bien qu'ils n'aient pas besoin de connaître ces mots, du moins pas encore). Cependant, si vous désirez lui apprendre des concepts comme «la fragilité d'un objet», axez la curiosité de votre enfant envers la chute en pratiquant une activité qui se joue à deux.

• Empilez quelques bouteilles grand format, des tasses ou des canettes vides en plastique et montrez à votre enfant comment lancer un jouet lesté en direction de ces objets pour les faire tomber (ce sera plus facile s'il est en position assise).

• Changez de place avec l'enfant et lancez la balle lestée à votre tour, mais ne calculez pas les points.

Apportez une variante en utilisant des boules de différentes grosseurs ou même des pelotes de laine, en vous assurant qu'elles ne contiennent pas d'épingles. Faites asseoir votre enfant à différentes distances de la cible. Il s'apercevra bien vite qu'il faut lancer plus fort quand la distance est supérieure.

• Une fois que votre petit quilleur aura amélioré son jeu, demandez-lui de lancer les objets lestés en restant debout. Pour rendre l'activité encore plus amusante, demandez-lui de relever les quilles, qu'il aura appris à renverser dans tous les coins de la pièce!

## HABILETÉS

**Lancer des jouets ou des balles lestées** *aide les tout-petits à développer leur coordination œil-main et contribue à renforcer leur compréhension de la notion de cause et d'effet. Cette activité permet aussi à l'enfant de s'habituer à l'alternance, une habileté avec laquelle il se familiarisera tout au long de sa petite enfance. Apprendre à changer de place avec quelqu'un d'autre lui sera d'une grande utilité au niveau de ses interactions sociales futures, dans des occasions où les enfants doivent faire preuve de partage pour bien s'entendre avec les autres.*

✔ **Équilibre**

✔ **Cause et effet**

✔ **Coordination œil-main**

✔ **Mouvements globaux**

**239**

# L'HEURE DU DÉGUISEMENT

## JOUER À SE COSTUMER

### HABILETÉS

**La majorité des enfants de deux ans** *ont des préférences marquées en matière de vêtements. Bon nombre d'entre eux sont déterminés à s'habiller seuls, peu importe le temps qu'ils y mettront. Cette activité leur permet de choisir leurs vêtements et le luxe de se vêtir eux-mêmes à leur guise. Les jeux de rôles servent de répétitions aux interactions sociales que l'enfant connaîtra plus tard.*

| | |
|---|---|
| **Expression créatrice** | ✔ |
| **Imagination** | ✔ |
| **Jeu de rôles** | ✔ |
| **Habiletés sociales** | ✔ |

**ELLE A COMMENCÉ PAR JOUER** avec vos écharpes, vos chapeaux et vos tricots doux (pulls) qu'elle a d'abord appris à saisir, car elle s'est dirigée vers vos armoires dès qu'elle a été capable de se promener à quatre pattes. Faites provision d'accessoires de déguisement (les ventes de garage et les magasins d'aubaines sont d'excellents endroits pour en trouver à petits prix) et laissez votre enfant se déguiser en ce qu'il veut, qu'il s'agisse d'un objet ou d'une personne vivante. Participez à l'activité en lui demandant qui elle incarne ce jour-là et invitez quelques unes de ses amies à se joindre au bal.

**UNE PRINCESSE, UN COW-BOY**
ou une actrice de cinéma. Les enfants aiment l'effet théâtral produit par les déguisements.

**240**

# UNE ACTIVITÉ EMPREINTE DE PLAISIR

24 MOIS ET PLUS

2

## SUIVEZ LES PIEDS

**D**EPUIS SA NAISSANCE, votre enfant est fasciné par ses propres pieds, qu'il s'agisse du goût de ses orteils ou de l'allure de ses premiers souliers. Permettez-lui de se faire une nouvelle image de ses pieds en lui montrant comment suivre ses propres traces de pas. Tracez le contour des semelles de ses souliers sur des morceaux de papier de couleur, découpez les formes des pieds et collez-les sur des carrés de carton. Disposez ces morceaux de carton sur le plancher afin de former un sentier, puis encouragez votre pionnier à placer son pied à l'intérieur de chacune des empreintes.

**EN DEMANDANT À VOTRE TOUT-PETIT** de suivre un sentier formé d'empreintes de couleurs, vous lui permettez d'augmenter sa coordination.

## HABILETÉS

**Suivre un sentier,** *quel qu'il soit, exige un bon équilibre et de la coordination. Modifiez la forme du sentier ou la distance entre les carrés ou demandez à votre petit de sauter à l'intérieur et à l'extérieur du sentier afin de mettre encore plus à l'épreuve ses talents nouvellement acquis. Dites : « rouge », « bleu » et « vert » lorsqu'il marchera sur les empreintes correspondant à ces couleurs afin de l'aider à enrichir son vocabulaire.*

✓ **Équilibre**

✓ **Coordination**

✓ **Coordination œil-pied**

✓ **Mouvements globaux**

SI VOTRE ENFANT AIME CETTE ACTIVITÉ, essayez aussi *Un jeu d'équilibre*, en page 226.

**241**

# C'EST L'HEURE DU BAIN, MON BÉBÉ

## UNE PREMIÈRE LEÇON DE PUÉRICULTURE

### HABILETÉS

**Les enfants de deux ans** *sont assez âgés pour jouer à faire semblant et désirent exercer un certain contrôle sur leur univers. Cette activité permettra à votre enfant de jouer à la mère avec son « propre bébé » et aussi d'être en charge, ce qui représente pour elle une excellente occasion d'exercer ses habiletés sociales et son imagination. Apprendre à tenir une poupée savonneuse et à nettoyer les parties de son petit corps favorise également le développement de ses habiletés fines motrices.*

| | |
|---|---|
| **Conscience de son corps** | ✓ |
| **Habiletés motrices fines** | ✓ |
| **Imagination** | ✓ |
| **Jeu de rôles** | ✓ |
| **Habiletés sociales** | ✓ |

**V**OTRE FILLETTE joue peut-être déjà à la Maman ou au Papa avec ses poupées et ses animaux en peluche en les berçant, en leur donnant à manger et en les bordant (voir *Dialogue avec une poupée,* en page 258). Elle aimera donner le bain à ses poupées, car elle aura l'occasion d'être la maman à l'heure du bain. Du même coup, elle se familiarisera avec le nettoyage du corps et inondera d'amour ses petites protégées.

• Mettez à sa disposition un bain pour poupée en remplissant une cuve ou une baignoire pour bébé, d'eau chaude savonneuse. Fournissez-lui des serviettes, des débarbouillettes, du savon et des jouets pour le bain afin de rendre l'activité plus réaliste.

• Encouragez votre enfant à tester la température de l'eau (« Est-ce trop chaud pour ta poupée ? » « Est-ce trop froid ? ») et à user de douceur en lavant la poupée. Pointez du doigt plusieurs des parties du corps de la poupée : « voici son nez et voici ses pieds ». Cette énumération offre à votre petite une occasion supplémentaire d'identifier les parties de son propre corps, ce qui est une activité très prisée des enfants de cet âge.

• Faites semblant que la poupée est sale et encouragez votre fillette à la nettoyer derrière les oreilles, entre les orteils et à tous les autres endroits où elle a besoin d'être lavée.

• Lorsque la poupée sera propre, laissez l'enfant la sécher avec une serviette, puis rappelez-lui de ne pas oublier de brosser les dents de la poupée !

SI VOTRE ENFANT AIME CETTE ACTIVITÉ, essayez aussi *Identifier les différentes parties du corps,* en page 204.

**FROTTI-FROTTA** et la poupée dans le bain brille de propreté et de joie ! Votre maman en herbe de deux ans adorera donner un bain d'eau savonneuse à son bébé.

## RAPPORT DE RECHERCHE

**Il y a à peine quelques mois,** votre fillette n'aurait pas été capable de participer à ce genre de jeu qui fait appel à l'imagination. Kurt Fischer, un neuroscientiste cognitif et éducateur de Harvard a fait des recherches sur la croissance crânienne, l'activité des ondes cérébrales et la densité des liens neuraux chez les enfants afin de démontrer que le cerveau est sujet à des périodes de croissance accélérée à des intervalles prévisibles. « L'une de ces périodes se produit entre l'âge de dix-huit mois et vingt-quatre mois, affirme-t-il, pendant laquelle l'enfant acquiert la capacité de représentation symbolique. » En d'autres mots, votre enfant sera capable d'imaginer qu'un objet inanimé (comme sa poupée) est un « bébé » qui a besoin d'un bon bain.

**243**

# PRENDRE SOIN DES ANIMAUX

## APPRENDRE À NOURRIR D'AUTRES CRÉATURES

### HABILETÉS

**Ce jeu consistant à « faire semblant »** *enseigne à votre enfant l'empathie et l'exerce à nourrir les autres. Cette activité contribue également à enrichir son vocabulaire du monde animal : les oiseaux ont des ailes, les tigres ont des pattes et un éléphant a une trompe. De plus, ce jeu permet d'expliquer à votre enfant les raisons pour lesquelles certains animaux peuvent être malades (« le cheval a mangé trop de sucre et a mal au ventre. ») leur permet de mieux comprendre ces bêtes.*

| | |
|---|---|
| Développement de la notion de concept | ✔ |
| Expression créatrice | ✔ |
| Habiletés motrices fines | ✔ |
| Imagination | ✔ |
| Jeu de rôles | ✔ |

ELLE ADORE SES ANIMAUX (les vrais et ceux en peluche) et s'intéresse aux pansements et aux notions de « bobos » et de « maladie ». Cela veut dire qu'elle est tout à fait prête à ouvrir sa clinique vétérinaire à la maison. Nous sommes dans le domaine de l'imaginaire, bien sûr, mais elle adorera s'occuper de ses petits amis.

• Aidez votre fillette à rassembler ses animaux favoris en plastique et en peluche pour pratiquer cette activité. (Assurez-vous que la dimension de ces animaux est supérieure à 4,5 cm, et ne présente aucun risque d'étouffement). Procurez-lui de petites boîtes ou des casseaux de fraises afin de servir de cages ou de paniers pour transporter ses petits malades. Des essuie-tout ou de petites écharpes pourront servir de couvertures.

• Expliquez-lui comment les animaux peuvent se blesser, se faire une coupure aux pattes, avoir des insectes dans les oreilles, briser leurs ailes ou avoir mal à l'estomac.

• Aidez-la à prendre soin de ses animaux malades en nettoyant et en bandant leurs plaies, en enroulant leurs membres brisés avec un bandage de gaze et en leur offrant un endroit propre et tranquille pour dormir (en plus de leur prodiguer des caresses et de leur dire des mots affectueux). Une trousse-jouet pour médecin comprend tous les instruments nécessaires pour effectuer un examen complet de ses amis malades et les soigner.

« Le poney est-il blessé ? »

**L'AIDER À JOUER**
au vétérinaire est une
façon naturelle d'enrichir
sa connaissance des
créatures vivantes.

**245**

# LES DIFFÉRENTS VISAGES DU JEU

**B**IEN QUE CE LIVRE mette l'accent sur les interactions ludiques entre le parent et l'enfant, il est également important de comprendre le comportement de jeu des tout-petits avec les autres enfants. Les enfants âgés d'un an s'amusent surtout seuls, alors qu'ils explorent un monde tout à fait nouveau. Cependant, ils éprouvent une certaine curiosité envers les autres enfants et seront souvent portés à imiter les gestes ou les bruits qu'ils font. Quand ils sont un peu plus âgés, les tout-petits se mettent à jouer de façon parallèle, c'est-à-dire que deux enfants ou plus s'amuseront avec des jouets semblables ou s'adonneront aux mêmes activités côte à côte, mais sans qu'il y ait interaction et construiront deux tours au moyen de blocs, chacun de leur côté. Vers l'âge de deux ans, comme le fait remarquer la psychologue pour enfants Penelope Leach dans son ouvrage *Your baby and Child*, « les tout-petits ont de plus en plus besoin de la compagnie d'autres enfants ». La plupart adorent participer à des jeux en groupe, mais leur capacité de partager des jouets ou d'avoir des échanges amicaux est encore limitée. C'est vers l'âge de trois ans que l'enfant commencera véritablement à jouer avec les autres. Ainsi, deux jeunes enfants construiront ensemble une tour formée de blocs, mais la possibilité de disputes concernant l'utilisation de jouets préférés ou d'une rivalité pour s'attirer l'attention des adultes est toujours présente.

Ces premières séances de jeu avec d'autres enfants permettent le développement d'autres qualités comme l'empathie, le contrôle de soi, le partage, l'équité et l'estime de soi et aident l'enfant à acquérir des outils précieux qui lui permettront de composer avec différentes situations sociales. Comme l'explique le docteur Benjamin Spock dans son ouvrage *Comment soigner et éduquer son enfant*, « Par l'intermédiaire du jeu, l'enfant apprend à bien s'entendre avec d'autres enfants et adultes possédant différentes personnalités, à donner et à recevoir et à résoudre des conflits ». Il s'agit de leçons précieuses que les parents peuvent encourager en donnant à l'enfant de nombreuses occasions de jouer avec d'autres petits.

# LES TASSES MAGIQUES

24 MOIS
2
ET PLUS

## UN JEU POUR EXERCER LA MÉMOIRE

**C**ETTE ACTIVITÉ est un peu plus compliquée que le jeu de cache-cache, mais fonctionne selon le même principe, à savoir qu'un objet est présent, puis disparaît et réapparaît comme par enchantement, mais ceci à condition que votre enfant se souvienne où l'objet se trouvait au départ ! Pour commencer le jeu, déposez trois tasses par terre et cachez un petit jouet sous une des tasses pendant que votre enfant vous observe, puis déplacez les tasses et demandez-lui sous quelle tasse le jouet est caché.

• Si vous avez déjà vu des amuseurs de rue pratiquer ce jeu, vous savez qu'il peut être mêlant, même pour des adultes. En conséquence, ne bougez pas les tasses trop rapidement, sinon elle ne sera pas capable de suivre l'itinéraire de son jouet.

### HABILETÉS

**Lorsque votre tout-petit** *n'était qu'un bébé, il suffisait de cacher un jouet pour qu'il en oublie l'existence. Toutefois, les choses ont changé et il comprend que l'objet est toujours là, quelque part et il sera tout content de le découvrir. Ce phénomène a pour nom la permanence des objets. En lui demandant de se concentrer sur une tasse pendant que vous la déplacez, vous l'incitez à se rappeler du jouet et à aiguiser sa mémoire visuelle.*

✔ **Résolution de problèmes**

✔ **Mémoire visuelle**

SOUS QUELLE TASSE LE CANARD JAUNE SE CACHE-T-IL ? Elle s'amusera beaucoup en essayant de suivre la tasse des yeux, surtout si vous la félicitez quand elle identifie la bonne tasse.

**247**

# BIP ! BIP !

## JOUER AVEC DES CAMIONS ET DES AUTOS

### HABILETÉS

**S'amuser avec des autos-jouets** *constitue un excellent moyen d'exercer l'imagination de votre enfant et lui donne l'occasion d'imiter un geste courant du monde des adultes, soit conduire une auto. (Ne vous inquiétez pas, il trouvera l'activité intéressante !). Ceci l'aidera également à développer des habiletés motrices fines comme pousser et tirer et lui enseignera à distinguer les bruits dans la vie de tous les jours.*

| Expression créatrice | ✔ |
| Habiletés motrices fines | ✔ |
| Imagination | ✔ |
| Développement du langage | ✔ |

**L**A PLUPART DES ENFANTS DE DEUX ANS sont fascinés par toutes les sortes de véhicules, à partir de leur propre poussette jusqu'aux autos, camions et autobus qui circulent dans la rue et aux trains qu'ils voient dans les livres d'images. Ils sont particulièrement emballés à l'idée d'observer des trains et des autos entrer dans des tunnels et traverser des ponts. Entretenez leur émerveillement (et faites en sorte qu'ils aient l'impression d'être au volant d'un de ces trucs que conduisent les grands) en leur donnant l'occasion de s'amuser avec des camions, des autos-jouets et des tunnels.

• Choisissez un véhicule-jouet de couleur vive de grande dimension plutôt qu'un petit, afin qu'il puisse le contrôler plus facilement et montrez-lui comment pousser le camion sur le plancher. Enseignez-lui tous les bruits que font ces véhicules, y compris le « bip-bip » du klaxon, le crissement, « screech », des pneus et le « vroum-vroum » du moteur. Portez ces mêmes bruits à l'attention de votre tout-petit lorsque vous conduisez votre automobile.

• Découpez des ouvertures à chacune des extrémités d'une grande boîte de carton afin de créer un tunnel et montrez-lui comment y faire pénétrer le camion. Parlez-lui des différentes parties du camion (le volant, les pneus) et expliquez pourquoi elle doit allumer les phares lorsqu'elle conduit dans un tunnel sombre. Voyez si elle est capable de deviner quelle partie du camion sortira du tunnel en premier, le devant ou le derrière.

CANALISEZ SON ÉNERGIE à travers ce jeu créatif consistant à imiter la conduite d'une véritable auto et regardez-la améliorer ses habiletés motrices.

## RAPPORT DE RECHERCHE

**L'enthousiasme apparemment** il-limité d'un trottineur pour le jeu s'explique par le fait qu'il se trouve dans une période de développement unique et merveilleuse. Le cerveau d'un enfant de deux ans consomme deux fois plus d'énergie métabolique que celui d'un adulte et il possède deux fois plus de synapses (les connexions entre les cellules nerveuses qui acheminent les impulsions électriques nécessaires au fonctionnement de toutes les fonctions du corps, y compris la cognition). « À cet âge, les enfants sont dans une période biologiquement favorable à l'apprentissage », affirment la neurologue Ann Barnet et son coauteur et époux, Richard, dans leur ouvrage intitulé The Youngest Minds. Cette période magique se poursuit jusqu'à l'âge d'environ dix ans, alors que le cerveau commence à perdre les connexions synaptiques qui n'ont pas été utilisées.

24 MOIS ET PLUS
**2**

# AU VOLANT
# DU CAMION D'INCENDIE

## UNE AMUSANTE CHANSON AVEC MOUVEMENTS

sur l'air de **« Ne pleure pas Jeannette »**

**Vite, vite, conduis le camion,**
*Faites des mouvements imitant la conduite*
**Aller vite, vite, vite,**
**Aller vite, vite, vite,**
**Vite, vite, conduis le camion,**
**Le camion fait pin-pon,**
**Pin-pon, pin-pon,**
**Le camion fait pin-pon.**
*Remuez la main comme si vous sonniez une cloche*

**Vite, vite, grimpe à l'échelle,**
*Faites semblant de monter une échelle*
**Aller vite, vite, vite,**
**Aller vite, vite, vite,**
**Vite, vite, grimpe à l'échelle,**
**Et fais jaillir de l'eau,**
**Et fais, et fais,**
**Et fais jaillir de l'eau**
*Faite semblant d'arroser.*

| Développement du langage | ✓ |
| Jeux de rôles | ✓ |

**S**ONNEZ L'ALARME ! Déclenchez l'alarme ! Cette chanson au rythme endiablé permettra à votre amateur de camion en herbe de faire semblant de conduire le véhicule le plus gros et le plus voyant qui soit, c'est-à-dire, un camion d'incendie et d'imiter l'une des professions les plus excitantes qui soit aux yeux d'un tout-petit. Tenez-vous face à votre enfant pendant que vous lui montrez les gestes des mains ou tenez-vous dos à lui alors qu'il est debout et aidez-le à faire les mouvements lui-même. S'il est prêt à jouer le rôle d'un pompier, trouvez une boîte en carton résistante, peinturez-la en rouge, installez-le à l'intérieur et poussez la boîte en chantant : « vite, vite, vite, conduis le camion », alors qu'il exécute les mouvements appropriés.

**VOTRE PETIT CHEF DES POMPIERS**
connaîtra la sensation de sa vie en prenant conscience du fait qu'il conduit le camion d'incendie et éteint le feu imaginaire avec son boyau fictif.

**250**

# DES TRÉSORS
# PLEIN LE SAC À MAIN

## CHASSE AUX TRÉSORS

**L**A **CURIOSITÉ INSATIABLE** d'une fillette relativement aux trésors dissimulés dans votre sac à main ou votre porte-documents est adorable, certes, mais elle peut mener à la catastrophe (par exemple, perte de cartes de crédit) et même s'avérer dangereuse (boîtes à pilules et crayons pointus). Encouragez-la dans ses explorations en lui donnant son propre sac à main que vous remplirez d'objets inoffensifs ressemblant à ceux qu'elle pourrait trouver dans le vôtre : un peigne, des clés, un miroir, un bloc-notes, et même un portefeuille. Incitez-la à chercher des objets dans son sac sans regarder : « Est-ce que tu sens tes clés à l'intérieur du sac ? » ou demandez-lui de vous nommer chacun des articles au fur et à mesure qu'elle les sort du sac.

**ELLE SEMBLE IMITER LES ADULTES,** mais le fait de posséder son propre sac à main, rempli d'objets sécuritaires provenant du porte-documents d'un de ses parents lui permet de découvrir différents objets et de connaître leur usage.

### HABILETÉS

**Vous pouvez faire en sorte** *que votre enfant ait une meilleure compréhension de tous les articles se trouvant dans son sac en décrivant l'utilisation de chacun des objets à mesure qu'elle les sort du sac. (« Je suis contente que tu aies trouvé les clés de l'auto. Nous pourrons l'utiliser pour nous rendre à l'épicerie »*, *ou encore « aimerais-tu te coiffer avec cette brosse ? ». Changez régulièrement les objets se trouvant à l'intérieur du sac à main afin de mettre à l'épreuve les capacités d'identification de votre enfant.*

| ✔ | **Développement de la notion de concept** |
| ✔ | **Développement du langage** |
| ✔ | **Capacités d'écoute** |
| ✔ | **Distinction tactile** |

**251**

# TOUCHER ET NOMMER

## QUE SE CACHE-T-IL DANS LA TAIE D'OREILLER?

### HABILETÉS

**Apprendre à décrire** *les objets de son univers donne à votre enfant le sentiment d'exercer un certain contrôle sur eux. Cette activité lui permet également de développer ses habiletés au niveau du langage et en ajoutant une composante tactile à sa mémoire visuelle en plein développement, il verra les objets sous un aspect tridimensionnel.*

| | |
|---|---|
| Développement de la notion de concept | ✔ |
| Développement du langage | ✔ |
| Capacité d'écoute | ✔ |
| Résolution de problèmes | ✔ |
| Distinction tactile | ✔ |

**V**OTRE TOUT-PETIT a maintenant le nez fourré partout, car il est irrésistiblement porté vers la découverte et veut toucher à tout, savoir ce que les choses goûtent, connaître les sons qu'elles produisent ainsi que l'allure et la façon de bouger des gens et des bêtes. Aidez-le à mener son enquête tout azimut et à identifier les sensations de différentes formes et textures avec cette variante du jeu classique de démonstration pratique.

• Placez un objet familier comme son camion-jouet, un ballon, une poupée ou sa cuillère ou sa tasse préférée à l'intérieur d'une taie d'oreiller ou d'un sac de toile.

• Demandez à votre tout-petit de fouiller à l'intérieur de la taie d'oreiller (pas question de regarder !) et de toucher l'objet, puis de deviner de quoi il s'agit (il est possible qu'il ait à deviner à quelques reprises avant d'avoir la bonne réponse). S'il ne parvient pas à identifier l'objet, dites-lui ce que c'est avant qu'il ne perde patience.

• Sortez l'objet et décrivez-lui ses propriétés tactiles. Initiez-le à des notions comme dur et mou, duveteux et lisse, etc.

Mettez un autre jouet à l'intérieur du sac et répétez l'exercice. Encouragez-le à utiliser les mots qu'il vient d'apprendre pendant qu'il essaie de deviner quel jouet se cache à l'intérieur.

• Pour apporter un peu de variété au jeu, laissez-le cacher un jouet à l'intérieur de la taie d'oreiller et essayez à votre tour d'identifier le jouet. Vous pouvez aussi glisser un objet à l'intérieur de la taie d'oreiller et demander à votre petit Hercule Poirot de deviner ce qui se cache à l'intérieur, en palpant la taie d'oreiller de l'extérieur.

SI VOTRE ENFANT AIME CETTE ACTIVITÉ, essayez aussi *Des sons mystérieux*, en page 257.

« Regarde, c'est ma tasse ! »

**IL AURA UN COUP DE CŒUR** pour les textures et apprendra à nommer les sensations qu'il aura éprouvées dans le cadre de ce jeu de devinette pratique.

**LAISSEZ VOTRE ENFANT** donner libre cours à ses talents artistiques en lui offrant des outils et de la glaise de couleur.

## RAPPORT
## DE RECHERCHE

**Jouer avec de la glaise à mo-
deler et la façonner** *fait plus
que favoriser l'émergence des talents artistiques de votre enfant.
En lui permettant de manipuler
cette matière et de s'adonner à
d'autres plaisirs tactiles, vous
contribuez au «développement
de sa connaissance du monde et à
son habileté à se servir de différentes matières», affirme Esther
Thelen, une psychologue de l'India-
na University à Bloomington. La
psycho-éducatrice Jane Healy croit
elle aussi aux bienfaits de la glaise,
du sable, de la peinture avec les
doigts et de la boue, qui permettent
d'affiner les habiletés tactiles d'un
enfant. Elle donne également ce
conseil aux parents exigeants : « si
vous êtes portés à être excessif
quant à la propreté, fermez vos
yeux et imaginez de petites den-
drites (neuronales) qui se branchent
et apportent une plus grande ouverture d'esprit ».*

**254**

24 MOIS ET PLUS
2

# JOUER AVEC DE LA GLAISE

## CRÉATION DE FORMES ET DE SCULPTURES

**V**OUS AVEZ PROBABLEMENT CONSERVÉ DES SOUVENIRS précieux de votre enfance, alors que vous avez créé des formes farfelues avec de la glaise. Aujourd'hui, c'est au tour de votre enfant de deux ans de laisser libre cours à ses talents artistiques avec cette glaise de couleur. Achetez de la glaise à modeler non toxique dans une boutique de jouets ou fabriquez vous-même une provision de glaise à modeler de couleur (voir recette de glaise dans le cercle). Prévoyez un espace de travail suffisamment grand et l'utilisation de quelques outils sécuritaires comme un rouleau à pâtisserie, un pilon à pommes de terre et un découpoir en plastique et place à la sculpture !

La plupart des jeunes enfants préfèrent expérimenter en pétrissant la glaise et en lui donnant des formes abstraites.

• Montrez-lui comment manipuler la glaise en la roulant en boule et en la laissant l'écraser ou faites-en un long rouleau qu'il pourra briser en morceaux et rabouter à sa guise.

• Montrez à votre enfant comment des formes simples comme des cercles, des carrés et des triangles peuvent être rassemblées pour en faire des objets reconnaissables comme des visages, des chapeaux ou des arbres.

• Pour ranger la glaise, rassemblez plusieurs contenants hermétiques et placez chacune des couleurs dans un contenant différent en faisant une marque sur chacun des couvercles avec la couleur correspondante. Une fois qu'il aura fini de jouer avec la glaise, demandez-lui de ranger chacune des couleurs dans le contenant approprié.

◀ SI VOTRE ENFANT AIME CETE ACTIVITÉ, essayez aussi *Les artistes du sable*, en page 192.

### FAITES-LE VOUS-MÊME

Mélangez 1 tasse de farine, 1 tasse de sel, 1 cuillère à table de poudre de tarte, 1 tasse d'eau et 1 cuillère à table d'huile végétale. Laissez mijoter dans une marmite jusqu'à ce que la glaise commence à s'éloigner des côtés de la marmite. Une fois qu'elle sera refroidie, ajoutez 5 gouttes de colorant alimentaire et pétrissez cette pâte jusqu'à ce qu'elle soit lisse.

## HABILETÉS

**Jouer avec de la glaise à modeler** *permet à votre enfant de jouer avec les formes et les textures en trois dimensions. De plus, manipuler la glaise stimule les sens et développe les habiletés motrices fines. Enrichissez le vocabulaire de votre enfant en lui enseignant les mots correspondant aux couleurs de base, aux formes et aux textures.*

✔ **Cause et effet**

✔ **Expression créatrice**

✔ **Habiletés motrices fines**

✔ **Développement du langage**

✔ **Exploration sensorielle**

**255**

# TROUVER CHAUSSURE
# À SON PIED

## TRIER DES SOULIERS DE DIFFÉRENTES GRANDEURS

### HABILETÉS

**Ce projet facile à assembler** *permet aux tout-petits d'exercer leur habileté à trier et de faire des découvertes quant aux grandeurs et aux matières. Vos conversations sur les souliers et les grandeurs enrichiront le vocabulaire de votre enfant. Demandez-lui de deviner à quoi servent les différents souliers et favorisez le développement de sa capacité à résoudre des problèmes.*

| Habileté à trier | ✔ |
|---|---|
| Développement du langage | ✔ |

**P**LUSIEURS ACTIVITÉS DE CLASSEMENT sont trop difficiles pour de jeunes enfants, mais vers l'âge de deux ans ou deux ans et demi, la majorité d'entre eux sont prêts à effectuer un travail de classement relativement simple, surtout si le jeu inclut les souliers de papa ou de maman. Placez deux ou trois paires de souliers sur une table, en prenant soin de séparer chacun des souliers de l'autre soulier correspondant. Choisissez des souliers de styles et de grandeurs variés, comme par exemple des bottes pour adultes, des souliers de bébés et vos pantoufles en duvet. Demandez à votre enfant d'apparier les souliers. Pendant qu'il effectuera sa recherche, parlez-lui des différentes sortes de souliers, à qui ils font et à quoi ils servent. Certains enfants trouvent l'exercice plus facile lorsqu'ils disposent d'une boîte à souliers pour y placer les paires.

QUELS SONT LES SOULIERS qui vont ensemble? Les tout-petits peuvent essayer d'apparier des souliers appartenant à différents membres de la famille. L'agencement des souliers représente un défi à la foi amusant et instructif.

SI VOTRE ENFANT AIME CETTE ACTIVITÉ, essayez aussi *Le jeu du stationnement,* en page 280.

**256**

# DES SONS MYSTÉRIEUX

24 MOIS
2
ET PLUS

## À LA RECHERCHE DU BRUIT CACHÉ

**Q**UEL EST-CE BRUIT ? D'où provient-il? Voilà le genre de questions que se posent les détectives en herbe dans le cadre de ce jeu de cache-cache auditif. Servez-vous d'un jouet musical qui produit un son pendant une longue période ou d'un autre article qui fait du bruit (comme une minuterie de cuisine, une horloge ou un métronome) et dissimulez le sous une étagère basse ou derrière une porte d'armoire. Cherchez ensemble d'où provient le bruit et tentez de retrouver l'objet. Tout en poursuivant votre recherche, demandez à votre enfant d'essayer de deviner quel est le jouet ou l'objet qui fait ce bruit mystérieux.

**EXERCER SES OREILLES** à localiser la provenance d'un son pourrait bien devenir l'un des jeux de devinette favoris de votre détective en herbe.

## HABILETÉS

**Les jeunes enfants adorent** *jouer à deviner les noms et cette activité contribue à affiner leurs aptitudes auditives. Localiser un objet par le son enseigne à votre tout-petit à trouver une réponse en procédant par élimination et renforce la notion qu'une devinette demandant réflexion fait partie du processus d'apprentissage.*

✔  **Capacité d'écoute**

✔  **Résolution de problèmes**

SI VOTRE ENFANT AIME CETTE ACTIVITÉ, essayez aussi *Des porte-voix puissants,* en page 283.

**257**

# DIALOGUE AVEC UNE POUPÉE

## APPRENDRE À NOURRIR

### HABILETÉS

**Les tout-petits apprennent** *souvent à être gentils avec les autres, qu'il s'agisse d'animaux ou d'êtres humains, en observant le comportement de leurs parents. En participant aux jeux de votre enfant avec sa poupée (ou un animal), vous aurez l'occasion de lui faire connaître les mots et les gestes appropriés. Il se sentira plus à l'aise avec ses sentiments naissants de douceur et d'amour.*

| | |
|---|---|
| **Expression créatrice** | ✔ |
| **Habiletés motrices fines** | ✔ |
| **Imagination** | ✔ |
| **Capacité d'écoute** | ✔ |
| **Habiletés sociales** | ✔ |

**V**OIR LA TENDRESSE D'UNE FILLETTE à l'égard de ses poupées, de ses oursons en peluche et autres chouchous de son univers, est réellement touchant. Cependant, il est possible que son enthousiasme fasse en sorte qu'elle soit un peu trop brusque, particulièrement avec des animaux ou d'autres enfants. Aidez-la à raffiner ses habiletés nourricières en interagissant avec votre enfant pendant qu'elle joue avec ses amis imaginaires.

• Mettez une des poupées ou un des animaux en peluche favoris de votre enfant dans les bras de votre fillette. Suggérez-lui de brosser doucement les cheveux de sa poupée, de la bercer dans ses bras ou apprenez-lui à flatter les animaux en lui faisant une démonstration avec un jouet en peluche.

• Dites-lui que sa poupée ou son ourson a froid et demandez-lui de les réchauffer en leur mettant des souliers, des chaussettes et des vêtements chauds (elle aura sans doute besoin d'aide avec les boutons-pression et les boutons) ou une couverture à la poupée ou à un jouet en peluche.

• Dites-lui qu'elle devrait nourrir sa poupée ou son animal qui n'a pas mangé de la journée et doit commencer à avoir faim. Elle fera semblant de lui offrir de la nourriture ou donnez-lui une cuillère et un petit plat contenant des céréales ou des raisins, ce qui est facile à nettoyer.

• Joignez-vous à votre enfant pour chanter une de ses berceuses préférées à sa poupée, tout en l'aidant à la bercer pour qu'elle s'endorme, puis demandez-lui d'aller la déposer doucement dans le lit.

SI VOTRE ENFANT AIME CETTE ACTIVITÉ, essayez aussi *C'est l'heure du bain, mon bébé*, en page 242.

## RAPPORT DE RECHERCHE

**Alors que de nombreux adultes** *en ont plein les mains avec les subtilités de la langue française, 90 pour cent des phrases prononcées par l'enfant de trois ans moyen sont grammaticalement exactes. Tirons-en une leçon d'humilité, car nos erreurs sont généralement le résultat d'une application trop zélée des règles. Si nous apprenons à parler convenablement aux enfants plutôt qu'en leur parlant en bébé, ils connaîtront tout de suite les mots appropriés et les bonnes formes grammaticales. Ainsi, pourquoi rire d'un enfant qui dit : « je veux trois souris. » ou « m'as-tu donné une poupée ? » Après tout, elle ne fait que suivre les règles !*

LORSQUE PAPA montre à sa fillette comment prendre soin de sa poupée, il lui donne une leçon importante sur la façon de nourrir les autres.

24 MOIS ET PLUS
2

# UN ARC-EN-CIEL DE COULEURS

## UNE ACTIVITÉ POUR TIRER, TOURNER ET COMPTER

### HABILETÉS

**Ce boulier élémentaire** *permet d'augmenter l'habileté de votre tout-petit à catégoriser des objets en l'aidant à identifier différentes couleurs et grandeurs. Il s'agit également d'une excellente occasion pour initier votre enfant à des mots évoquant des comparaisons comme gros, plus gros et le plus gros.*

**D**ES BALLES DE COULEURS VOYANTES QUI VIREVOLTENT sur une corde vont capter à coup sûr l'attention des tout-petits, car ils aiment les couleurs vives et les mouvements rotatifs. Toutefois, en plus d'être amusante, cette activité présente l'avantage d'enseigner à votre enfant d'importants concepts. Pour commencer, faites passer une corde à travers plusieurs balles de couleur comportant des ouvertures (en vente dans les boutiques de jouets) et fixez solidement la corde entre deux chaises. Montrez à votre enfant comment faire tourner les balles et les glisser d'un bout à l'autre de la corde, puis demandez-lui de faire tourner celles d'une couleur particulière ou uniquement les plus grosses balles.

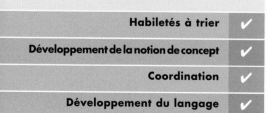

| | |
|---|---|
| **Habiletés à trier** | ✓ |
| **Développement de la notion de concept** | ✓ |
| **Coordination** | ✓ |
| **Développement du langage** | ✓ |

FAIRE TOURNER RAPIDEMENT DES BALLES AU COULEURS VIVES est amusant, mais cette activité comporte également un aspect éducatif en apprenant à l'enfant à identifier les couleurs et les dimensions : bleu et rouge, petite et grande et plus ou moins.

# IL FAUT ARROSER ÇA !

30 MOIS
2½
ET PLUS

## ET PLOUF, PETITE BALLE !

D E L'EAU, DES BALLES, DES LANCERS, de l'arrosage au programme... tous les éléments de cette activité risquent de faire en sorte que vous et votre petite fille allez finir par être trempés, mais elle s'amusera tellement que vous n'y verrez pas d'objection. Trouvez deux ou trois grands bols ou pots en plastique et remplissez-les d'eau jusqu'à la moitié. Rassemblez plusieurs balles de petite dimension, de préférence des balles qui peuvent flotter (des balles en plastique ou des balles de tennis feront l'affaire). Demandez à votre enfant de lancer les balles dans les cibles en plastique contenant l'eau. Calculez le nombre de balles qu'elle peut lancer dans chacun des bols et n'oubliez pas de l'applaudir à chaque fois, même si elle manque son coup. Lorsqu'elle deviendra meilleure, augmentez le niveau de difficulté en lui demandant de se tenir à une plus grande distance des contenants remplis d'eau.

VOTRE PETITE LANCEUSE produira des éclats d'eau lorsqu'elle atteindra la cible et améliorera sa coordination en visant le contenant d'eau.

## HABILETÉS

**Cette activité ayant pour thème central l'eau,** *aide votre enfant à développer sa coordination œil-main et ses mouvements globaux. Ce jeu représente également une excellente occasion d'apprendre à compter à votre enfant (« Voilà une balle à l'eau, en voici deux. Regarde comme tu es bonne, tu as envoyé trois balles dans le bol ! »*

| | |
|---|---|
| ✔ | **Coordination** |
| ✔ | **Capacité de compter** |
| ✔ | **Coordination œil-main** |
| ✔ | **Mouvements globaux** |

SI VOTRE ENFANT AIME CETTE ACTIVITÉ, essayez aussi *Et hop, dans les airs !*, en page 266. ▷

**261**

« J'ai trouvé Teddy ! »

**UNE CHASSE AU TRÉSOR**
devient encore plus excitante lorsque
votre enfant a l'occasion d'utiliser
une lampe de poche dans le noir.

# S'AMUSER AVEC UNE LAMPE DE POCHE

## TROUVER DES JOUETS CACHÉS DANS L'OBSCURITÉ

**B**RANDIR UNE LAMPE DE POCHE est une source d'émerveillement chez la majorité des tout-petits, car cet outil leur procure un certain contrôle sur l'obscurité et modifie l'aspect de tout ce qui les entoure.

• Commencez cette activité en soirée en cachant l'un des articles préférés de votre enfant, par exemple, une poupée, un livre ou son ourson adoré. Limitez le territoire de recherche à une ou deux pièces pour qu'elle n'ait pas trop de difficulté à trouver le trésor caché.

• Dites à votre petite fille ce qu'elle doit chercher, fermez les lumières (ou laissez un éclairage tamisé) et donnez-lui une lampe de poche légère (vous devrez sans doute lui en montrer le fonctionnement au départ). Munissez-vous aussi d'une lampe de poche.

• Rendez l'activité vivante et amusante en lui donnant plusieurs indices au besoin : « Tu brûles, tu es de plus en plus près, encore plus près. Oh, là tu refroidis, ma belle ! » Si elle commence à perdre patience, utilisez le faisceau de votre propre lampe de poche pour l'aider à trouver le lieu de la cachette.

• Cette activité est idéale pour que votre enfant joue avec un membre de la famille plus âgé ou un groupe d'enfants, car vous pouvez cacher plusieurs objets en une fois, quelques-uns dans des endroits plus difficiles à trouver. Observer des enfants en pleine recherche, lampes de poche en mains, est un spectacle qui vaut son pesant d'or.

SI VOTRE ENFANT AIME CETTE ACTIVITÉ, essayez aussi *Des trésors plein le sac à main,* en page 251.

## HABILETÉS

**Chercher un objet** *représente un problème qui demandera à votre enfant de se concentrer pour parvenir à le résoudre. La première étape consiste évidemment à écouter votre description de l'objet caché, ce qui fait appel à la capacité de compréhension de votre enfant. Il devra penser à des endroits qui ne sont pas dans son champ de vision immédiat, une forme de pensée abstraite qui représente une acquisition de taille pour un jeune enfant. Ce jeu de fin de soirée peut également diminuer la crainte et les sentiments négatifs que les enfants éprouvent face à l'obscurité.*

✓ **Capacité d'écoute**

✓ **Résolution de problèmes**

✓ **Habiletés sociales**

✓ **Mémoire visuelle**

# LES PARTISANS DE LA THÉORIE DES HABILETÉS INNÉES ET LES AUTRES

**N**AISSONS-NOUS dotés d'habiletés, de points faibles et de traits de personnalité inaltérables ou comme des disquettes vierges attendant de recevoir de la mémoire, soit d'être nourris par notre environnement et d'imprégner l'information dans nos psychés ? Pour de nombreux scientifiques, les recherches effectuées au cours des dernières années sur le cerveau ont permis de régler une bonne fois pour toutes une question vieille comme le monde, à savoir si les habiletés sont innées chez l'enfant ou si ce dernier part de zéro. Le résultat ? Verdict nul... 50/50 !

Pendant des décennies, des études comportementales ont laissé entendre que certaines caractéristiques comme l'agressivité, la timidité et le courage de prendre des risques étaient d'origine génétique. Alors que Dame Nature semblait autrefois remporter la palme, les neurologues ont démontré à quel point le cerveau humain était à l'état brut au moment de la naissance et l'importance de l'environnement sur le caractère d'une personne, soit jusqu'à en modifier la forme du cerveau, dans certains cas. Dans les années 1990, les scientifiques ont rassemblé ces deux écoles de pensée en concluant que si les gens naissaient avec certaines tendances et habiletés, le degré de manifestation de ces caractéristiques dépendait largement de leurs expériences, particulièrement durant la petite enfance. Comme l'affirme la neurologue Ann Barnet dans son ouvrage *The Youngest Minds* : « des recherches effectuées récemment par des spécialistes en génétique du comportement ont révélé que l'influence relative des facteurs héréditaires et de l'environnement sont de même importance ».

Ce partage a des conséquences importantes pour les parents. D'une part, cela signifie que si un enfant est né avec un comportement particulier, les parents peuvent travailler avec l'enfant afin d'éliminer cette habitude. Ainsi, les parents d'une fillette timide peuvent l'aider à s'extérioriser ou lui apprendre à exercer un contrôle sur ses impulsions si elle prend trop de risques. D'autre part, cela veut dire que même si un enfant est né avec certains dons, comme par exemple une habileté musicale exceptionnelle ou d'autres dons artistiques, ces talents pourraient ne jamais ressortir s'ils n'ont pas l'occasion d'être stimulés.

# UNE ACTIVITÉ SAUTÉE !

30 MOIS 2½ ET PLUS

## SE DÉHANCHER ET BOUGER SUR UN AIR RYTHMÉ

**F**AITES RIGOLER ET SE TORTILLER DE RIRE VOTRE TOUT-PETIT au son de ce chant joyeux qui favorise le rythme et le mouvement. Tenez votre enfant sur vos genoux, face à vous, puis tapez du pied de façon rythmique en chantant les mots. Lorsque vous chantez M. Sautillon saute haut, soulevez votre tout-petit dans les airs et lorsque vous chantez M. Sautillon saute bas, soulevez-le à peine. Dans le deuxième couplet, faites bouger votre enfant légèrement pendant que vous le soulevez et l'abaissez (le secouer vigoureusement est risqué) Allez-y de vos propres couplets et mouvements, par exemple en tapant des mains, en agitant les bras ou en saluant. Si votre enfant est solide sur ses pieds, laissez-le sauter et se tortiller lui-même pendant que vous chantez et tapez des mains.

EN SÉCURITÉ dans les bras de maman, votre tout-petit rira à gorge déployée en planant vers le haut, puis en revenant en bas au rythme des mots de cette chanson entraînante.

M. Sautillon
Est un vieil homme amusant,
Qui saute et qui saute à tout venant.
Il saute très haut,
Il saute juste un peu,
Il saute et il saute,
En tous temps, en tous lieux.

Viens sauter avec lui !
M. Sautillon
Est un vieil homme amusant,
Qui remue et remue à tout venant,
Il remue en sautant très haut,
Il remue en sautant juste un peu,
Il remue et remue,
En tous temps, en tous lieux.

Viens sauter avec lui !

✔  **Capacité découte**
✔  **Exploration du rythme**

SI VOTRE ENFANT AIME CETTE ACTIVITÉ, essayez aussi *Chansons d'oursons*, en page 270.

**265**

# ET HOP, DANS LES AIRS !

## UN JEU AVEC BALLON ET PARACHUTE

### HABILETÉS

**Ce jeu met à l'épreuve** *la coordination et l'activité visuelle de votre enfant. Pour lancer le ballon vers le haut, il lui faut essayer de soulever la couverture en même temps que vous. Pour attraper le ballon directement sur la couverture, il lui faut garder un œil sur le ballon pendant qu'il retombe. Cette activité requiert de la planification et un certain sens de coopération avec son partenaire et votre tout-petit devra peut-être pratiquer l'exercice plusieurs fois avant d'y arriver.*

| | |
|---|---|
| **Cause et effet** | ✓ |
| **Coordination œil-pied** | ✓ |
| **Coordination œil-main** | ✓ |

SI VOTRE ENFANT AIME CETTE ACTIVITÉ, essayez aussi *Attraper un ballon de plage*, en page 225.

**E**N ÉTÉ COMME EN HIVER, à l'intérieur ou à l'extérieur, un ballon de plage ou un autre ballon léger contribue à amuser un jeune enfant de mille et une façons. Pour pratiquer ce jeu, vous et votre enfant devez vous tenir de chaque côté d'une couverture ou d'un mini-parachute. Placez un ballon de plage au centre et lancez-le dans les airs, puis essayez de l'attraper avec le parachute pendant qu'il retombe. Commencez par lancer doucement le ballon pour ne pas qu'il aille trop haut, puis au fur et à mesure que la coordination de votre trottineur se développera, vous pourrez le lancer de plus en plus haut.

**L'ENFANT SUIVRA** attentivement des yeux le ballon bondissant, dans ce jeu fort amusant qui exerce ses habiletés à coordonner les mouvements musculaires avec les mouvements du ballon.

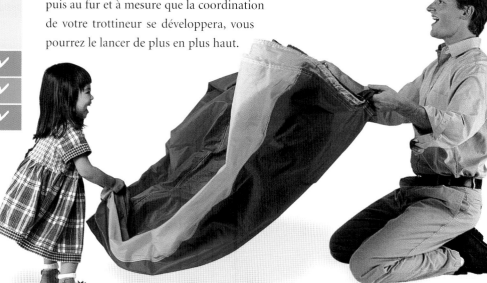

**266**

# CASSE-TÊTE EN PAPIER

## ASSEMBLER LES GROS MORCEAUX CORRESPONDANTS

**S**I VOTRE ENFANT s'amuse déjà avec des casse-tête en bois et des trieurs de formes, c'est le temps d'améliorer sa capacité à comprendre et à organiser les formes dans l'espace en créant un casse-tête rudimentaire à son intention. Trouvez une image attrayante et colorée représentant quelque chose que votre enfant aime bien, comme un animal, un camion, un bébé ou un des ses aliments favoris (les magazines représentent une excellente source de photographies grand format). Collez cette image sur un morceau de papier ou sur une feuille de carton de la grandeur d'une lettre. Découpez l'image en quatre gros morceaux. Aidez votre enfant à remettre les morceaux à leur place. Une fois qu'il aura compris le fonctionnement du jeu, présentez-lui un casse-tête plus difficile en découpant l'image en plus petits morceaux.

ASSEMBLER QUATRE MOR-
CEAUX d'une image pour former
un magnifique papillon constitue exactement le genre de casse-tête auquel
votre tout-petit est prêt à se frotter.

## HABILETÉS

**Cette activité permet** *à votre enfant d'exercer sa compréhension des relations spatiales. Cela lui permet également de créer et recréer une image qu'il aime (un excellent moyen de mettre à l'épreuve sa mémoire visuelle), ce qui lui donnera confiance et l'encouragera à vouloir essayer des casse-tête plus compliqués.*

| ✔ | **Développement de la notion de concept** |
| ✔ | **Résolution de problèmes** |
| ✔ | **Distinction des grandeurs et des formes** |
| ✔ | **Distinction visuelle** |
| ✔ | **Mémoire visuelle** |

**267**

# ODEURS FAMILIÈRES

## UN VOYAGE DANS L'UNIVERS DES ODEURS

### HABILETÉS

**Voilà une activité** *qui permettra à votre tout-petit d'explorer plus à fond les nombreuses facettes de son univers sensoriel. La découverte de l'univers des odeurs l'aidera à prendre conscience du fait qu'il existe plusieurs centaines d'odeurs différentes, agréables ou âcres, dans notre environnement. En lui enseignant les mots correspondant aux différentes odeurs et ceux des objets dont elles proviennent, vous enrichirez son vocabulaire.*

| | |
|---|---|
| **Développement du langage** | ✔ |
| **Résolution de problèmes** | ✔ |
| **Exploration sensorielle** | ✔ |
| **Mémoire visuelle** | ✔ |

**I**L SOURIT LORSQU'IL MANGE un biscuit et fait la moue lorsqu'il voit du brocoli, ce qui veut dire qu'il a un palais sélectif. Mais qu'en est-il de son odorat? Aidez-le à associer arôme et aliment en pratiquant ce jeu simple consistant à humer.

• Regroupez plusieurs aliments possédant des odeurs puissantes, que votre enfant connaît déjà, comme des biscuits aux brisures de chocolat, des oranges et des oignons.

• Bandez-lui les yeux avec un mouchoir ou une écharpe (ou couvrez simplement ses yeux avec votre main) et demandez-lui de renifler fort (et surtout de ne pas regarder!) et de deviner quelles sont les odeurs présentes dans la pièce. Une fois qu'il aura deviné, laissez-lui goûter aux aliments afin qu'il s'habitue à associer différentes odeurs à différents goûts.

• Choisissez des aliments aux arômes plus subtils au fur et à mesure qu'il maîtrisera cette activité. Ainsi, voyez s'il est en mesure de différencier une pêche d'une pomme, un biscuit d'un gâteau ou un citron d'une orange.

• Répétez l'exercice avec des odeurs qui se trouvent à l'extérieur. Mettez sa mémoire olfactive à l'épreuve en lui faisant sentir des fleurs, de la boue et des herbes communes.

• Demandez à votre trottineur d'identifier les odeurs présentes dans le voisinage comme le pain frais de la boulangerie, le poulet frit d'un restaurant ou des fruits d'été dans un kiosque de trottoir.

SI VOTRE ENFANT AIME CETTE ACTIVITÉ, essayez aussi *Toucher et nommer*, en page 252.

« Que sens-tu, maintenant ? »

OUF ! L'odeur âcre d'un oignon cru
est facile à reconnaître, mais qu'en
est-il de ces tranches d'orange ?

# CHANSONS D'OURSONS

**L**ES TOUT-PETITS ADORENT les oursons en peluche, le rythme et les répétitions de ces chansons d'oursons représentent toujours pour eux un attrait irrésistible. Installez votre enfant sur vos genoux et faites-le sauter doucement en suivant le rythme de ces chansons, tout en l'invitant à chanter avec vous ou à se joindre à vous (et à ses jouets en peluche) en imitant les gestes appropriés.

## L'OURS

 sur l'air de «Malbrough s'en va-t-en guerre»

L'ours marche sur la montagne,
L'ours marche sur la montagne,
L'ours marche sur la montagne,
Afin de voir au loin.

Afin de voir au loin,
Afin de voir au loin.

L'ours marche sur la montagne,
L'ours marche sur la montagne,
L'ours marche sur la montagne,
Afin de voir au loin.

## OH, QUAND LES OURS

Oh, quand les ours se réveilleront,
Oh, quand les ours se réveilleront,
Je voudrais être un gros nounours,
Oh, quand les ours se réveilleront.
*Étirez-vous comme lorsque vous
vous réveillez*

Oh, quand les ours s'exerceront,
Oh, quand les ours s'exerceront,
Je voudrais être gros nounours,
Oh, quand les ours s'exerceront.
*Sautez de haut en bas*

*Improvisez d'autres couplets à votre guise
par exemple, oh, quand les ours
mangeront du miel, oh, quand
les ours auront des ailes, etc.*

**270**

## LES OURSONS

 *sur l'air de* **« Passe, passera »**

**Les ours, les oursons,**
**Les oursons tournent, les oursons tournent.**
**Les ours, les oursons,**
**Les oursons tournent tous en ronds.**
*Tournez en rond avec votre enfant pendant*
*que vous lui apprenez la chanson*

**Les oursons tournent en rond,**
**Les oursons touchent le sol.**
*Touchez le sol*

**Les ours, les oursons,**
**Les oursons tournent, les oursons tournent.**
**Les ours, les oursons,**
**Les oursons tournent tous en ronds.**
*Tournez en rond avec votre enfant*

**Les oursons mangent du miel,**
**Les oursons se régalent.**
*Frottez-vous le ventre*

**Les ours, les oursons,**
**Les oursons tournent,**
**les oursons tournent.**
**Les ours, les oursons,**
**Les oursons tournent**
**tous en ronds.**
*Tournez en rond puis*
*asseyez-vous à la fin de la chanson.*

## LES OURS DORMENT

 *sur l'air de* **« Frère Jacques »**

**Les ours dorment, les ours dorment,**
**Dans leurs caves, dans leurs caves,**
**Attendant le printemps,**
**Attendant le printemps,**
**Chut ! Chut ! Chut !**
**Chut ! Chut ! Chut !**

LE GENOU DE PAPA est l'endroit idéal pour un duo de chansons sur les oursons qui permettront à votre « petit oursons » de développer ses aptitudes langagières et ses capacités d'écoute.

**271**

# EN PLEIN DANS LE MILLE !

## UN ATTERRISSAGE RÉUSSI

### HABILETÉS

**Sauter** *fait travailler les muscles des deux côtés du corps, augmentant ainsi la coordination bilatérale. Il s'agit là d'un contrepoids salutaire à des activités comme faire rouler un ballon, qui ne font appel qu'à un seul côté du corps. Sauter permet également d'améliorer la coordination œil-pied et l'équilibre d'un enfant un peu plus âgé. Il doit mettre ses pieds à l'endroit où il regarde et rester debout après être retombé sur ses pieds.*

| | |
|---|---|
| **Équilibre** | ✓ |
| **Coordination œil-pied** | ✓ |
| **Mouvements globaux** | ✓ |
| **Orientation spatiale** | ✓ |

**S**AUTER EST UN GRAND accomplissement pour les tout-petits, car cette action exige de la coordination, de la force et un peu de courage. C'est également un geste qui est excitant. Pour vous en persuader, vous n'avez qu'à observer l'expression de plaisir sur le visage de votre jeune athlète après qu'il a sauté dans une grosse mare d'eau de pluie.

• Vous pouvez l'aider à améliorer sa forme et augmenter sa confiance en aménageant un espace d'entraînement au saut en installant un tabouret ou un bloc stable ou quelque autre plate-forme de lancement sécuritaire (assurez-vous qu'il arrivera sur une surface molle ou coussinée).

• Utilisez un grand morceau de papier de bricolage ou une assiette en papier de couleur comme cible et collez-la au sol avec du ruban d'emballage résistant pour ne pas qu'elle glisse lorsque votre trottineur va retomber au sol. Encouragez-le à sauter directement sur la cible. Pour y parvenir, il devra pratiquer. N'oubliez pas de l'applaudir à chacun de ses essais.

Plus votre enfant deviendra habile, plus la cible devra être petite ou demandez-lui de sauter (à une hauteur raisonnablement sécuritaire) de plus haut.

• Certains enfants sont craintifs à l'idée de sauter ainsi dans le vide. Rassurez-le en lui montrant comment sauter ou tenez sa main pendant qu'il saute. Une fois qu'elle aura confiance en sa capacité de sauter, il ne voudra plus arrêter.

SI VOTRE ENFANT AIME CETTE ACTIVITÉ, essayez aussi *Et ça tourne!*, en page 277.

30 MOIS $2\frac{1}{2}$ ET PLUS

## PRÊTE ? ALLEZ, SAUTE !

Cet amusant saut aérien est fort utile pour développer des muscles plus puissants et une bonne coordination œil-pied.

## RAPPORT
## DE RECHERCHE

**Des expériences enrichissantes**
*telles qu'assembler un collage, procurent aux enfants une stimulation créatrice essentielle à leur développement. Des chercheurs du Collège de médecine à Houston, au Texas, ont découvert que des enfants privés de jouets et de partenaires de jeux (ou de gardiennes qui leur enseignent mille et une choses) possédaient des cerveaux de 20 à 30 pour cent plus petits que la normale. Pour offrir à leur enfant une stimulation pertinente, les parents n'ont pas besoin d'accumuler toute une panoplie de gadgets électroniques et de jouets coûteux. Une étude approfondie menée à l'Université de l'Alabama a révélé que les jouets de base, comme les fournitures artistiques, les blocs et les casse-tête représentaient encore le meilleur moyen de favoriser le développement cognitif et physique d'un jeune enfant.*

30 MOIS ET PLUS 2½

# DES COLLAGES HAUTS EN COULEURS

## UNE COLLECTION D'IMAGES FASCINANTES

**M**ÊME À UN ÂGE AUSSI TENDRE, votre enfant a déjà des préférences et sait ce qu'il aime et ce qu'il n'aime pas. Ainsi, il est possible qu'il soit fasciné par la musique, les animaux ou des activités comme le jardinage et la cuisine. Encouragez-le à apprécier les activités pour lesquelles il éprouve un intérêt naturel en l'aidant à réaliser un collage à partir d'une sélection d'images.

• Rassemblez des images colorées illustrant des choses qui l'intéressent en fouillant dans des revues, des journaux et même de la publicité importune et mettez-les dans un grand panier ou un grand bol.

• Demandez à votre tout-petit d'y jeter un coup d'œil et parlez des images pendant qu'il les prend pour les regarder. Demandez-lui d'identifier ces objets (par exemple, un violon, une baleine, une fleur, un muffin aux bleuets, etc.).

• Demandez-lui de choisir les images qu'il préfère et placez-les sur une grande feuille de papier épais, comme du papier de bricolage.

• Montrez-lui comment mettre de la colle à l'endos d'une image, puis déposez-la sur le papier afin de produire un collage au moyen de colle (non toxique) pour enfants.

• Une fois que vous aurez terminé ce collage, fixez-le à un endroit bien en vue, dans sa chambre, sur le réfrigérateur ou même dans le vestibule d'entrée avant. Les créations artistiques des enfants doivent être vues et non cachées !

**« J'AIME LES DAUPHINS** parce qu'ils vivent dans l'océan ». Apprenez à mieux connaître votre enfant en l'aidant à créer une œuvre qui reflète sa personnalité et ses goûts.

## HABILETÉS

**Laisser votre enfant** *choisir ses propres images pour réaliser un collage lui permet de s'exercer à exprimer ses préférences. L'encourager à discuter des images l'aide à enrichir son vocabulaire, et en lui montrant à manipuler la colle et des morceaux de papier collants, vous contribuez au développement de ses habiletés motrices fines.*

✔ **Expression créatrice**

✔ **Habiletés motrices fines**

✔ **Développement du langage**

✔ **Distinction visuelle**

SI VOTRE ENFANT AIME CETTE ACTIVITÉ, essayez aussi *Casse-tête en papier*, en page 267.

**275**

# QUELLE BOÎTE MAGNIFIQUE !

## COMMENT DÉCORER UN COFFRE À JOUETS

### HABILETÉS

**Ce projet favorise** *l'esprit créateur d'un tout-petit en lui permettant de s'exprimer sur autre chose que du papier. En associant le dessin, la peinture, le coloriage et le collage, cette activité l'initie à plusieurs médias artistiques. Elle permet d'affiner ses habiletés motrices fines et contribue à développer son aptitude à communiquer, surtout si les parents discutent avec leur enfant en décorant la boîte.*

| | |
|---|---|
| **Expression créatrice** | ✓ |
| **Habiletés motrices fines** | ✓ |
| **Habiletés sociales** | ✓ |

**P**RÉSENTEZ À VOTRE ENFANT une nouvelle dimension pour développer ses talents artistiques naturels en l'aidant à décorer une boîte pour y ranger ses jouets.
Utilisez une boîte de carton unie ou de couleur (ou recouvrez une boîte imprimée avec du papier blanc). Donnez à votre enfant des marqueurs et des crayons à encre délébile pour qu'il dessine des lignes et des cercles sur la boîte. Aidez-le à coller du brillant, des rubans ou des découpures de papier sur la boîte. Commencez avec un thème (comme la mer) et encouragez-le à élaborer à partir de ce sujet en apposant sur la boîte des autocollants de vagues, de poissons, de bateaux et de ballons de plage. Une fois qu'il aura terminé, écrivez son nom sur cette boîte qui revêtira pour lui un cachet spécial.

**LAISSEZ LIBRE COURS** à ses talents artistiques en lui donnant des crayons et des autocollants et observez-le décorer son coffre à jouets.

SI VOTRE ENFANT AIME CETTE ACTIVITÉ, essayez aussi *Initiation à la peinture*, en page 254.

**276**

30 MOIS
2½
ET PLUS

# ET ÇA TOURNE !

## CHANSON POUR TOURNER RONDEMENT

**C**ETTE CHANSON AVEC MOUVEMENTS est une façon amusante d'associer le chant à un exercice physique dynamique. Chantez «Tourne en rond» à quelques reprises en suivant les directives des paroles et en exagérant les mouvements, par exemple en sautant haut dans les airs lorsque vous chantez: «Allez, saute un p'tit peu!» Votre petit ressort ambulant prendra plaisir à vous imiter et développera du même coup un meilleur contrôle de son corps et de ses mouvements globaux. Mimez les paroles augmente également la compréhension des concepts comme en haut ainsi qu'élevé et bas.

**BOUGER AU RYTME DE LA MUSIQUE** permettra à la confiance corporelle de votre enfant d'accomplir des sauts de géant.

sur *l'air* de **« Frère Jacques »**

*Exécutez les mouvements indiqués dans les paroles. Commencez par les faire lentement jusqu'à ce que votre enfant comprenne bien tous les mouvements.*

**Tourne en rond**

**Tourne en rond, tourne en rond,**
**Touche tes pieds, touche tes pieds,**

**Allez, saute un p'tit peu,**
**Allez, saute un p'tit peu,**

**Et assieds-toi.**
*Accroupissez-vous le plus bas possible.*

| ✔ | **Équilibre** |
| ✔ | **Coordination** |
| ✔ | **Mouvements globaux** |

SI VOTRE ENFANT AIME CETTE ACTIVITÉ, essayez aussi *De la tête aux pieds,* en page 232.

**277**

# MIMES EN HERBE

## IMITATION D'UNE CÉRÉMONIE DE THÉ

### HABILETÉS

**Les tout-petits adorent aider** *les adultes et reproduire tout ce qu'ils font. Ces jeux d'imitation permettent à votre enfant de pénétrer dans un monde imaginaire qui englobe les activités des enfants et des adultes, un monde idéal, quoi! Collaborer à un projet commun, même s'il est imaginaire, développe également les habiletés sociales de votre enfant comme le partage, le don et exprimer sa gratitude.*

| | |
|---|---|
| **Conscience de son corps** | ✔ |
| **Expression créatrice** | ✔ |
| **Mouvement créatif** | ✔ |
| **Imagination** | ✔ |
| **Habiletés sociales** | ✔ |

**E**LLE VEUT ACCOMPLIR À PEU PRÈS TOUT ce que vous faites, n'est-ce pas? Donnez-lui l'occasion de participer à des activités habituellement réservées aux grandes personnes en imitant toutes sortes de choses amusantes en votre compagnie.

• Organisez une cérémonie de thé, sans l'ensemble de thé. Faites semblant de verser le thé, de passer le plateau de biscuits, de boire et de manger. N'oubliez pas de dire : « s'il-te-plaît », « merci » et « hum… c'est délicieux ! ». Votre petite fille apprendra ainsi les bonnes manières et cela donnera le ton à la cérémonie.

• Faites cuire en équipe un gâteau sans plat ni ingrédients. Cassez des œufs imaginaires, mélangez la farine et déposez la pâte à frire dans un plat. N'oubliez pas d'essuyer la farine sur vos mains lorsque vous aurez terminé, puis servez-vous de gros morceaux de ce formidable gâteau.

• Vous pouvez aussi faire semblant de piloter un avion, de nettoyer la maison ou de galoper à cheval.

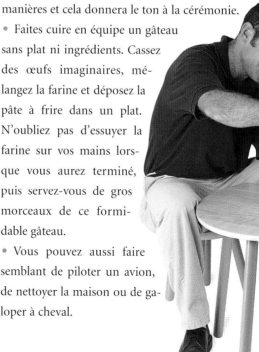

« Ce thé est délicieux ! »

**MÊME S'IL S'AGIT D'UN THÉ IMAGI-NAIRE** organiser une cérémonie de thé stimulera son imagination et elle apprendra à dire « Oui, s'il-te-plaît, j'en veux d'autre » et « Merci beaucoup ».

# LE JEU DU STATIONNEMENT

## UN JEU D'ASSOCIATION DE COULEURS

### HABILETÉS

**Apprendre à associer des couleurs** *contribue à exercer l'œil d'un jeune enfant, à comparer et à différencier des objets. Il apprendra également à faire le lien entre deux objets complètement différents ayant une caractéristique commune (dans ce cas précis, la couleur). En répétant les noms des couleurs à haute voix, alors qu'il associe la couleur de l'auto à celle du papier, vous enrichissez son vocabulaire.*

| Habileté à classer | ✔ |
| Développement de la notion de concept | ✔ |
| Résolution de problèmes | ✔ |
| Distinction visuelle | ✔ |

**L**A PLUPART DES ENFANTS DE DEUX ANS sont fascinés par les couleurs et sentent le besoin irrésistible de les identifier. Cet exercice capitalise sur l'attrait de votre enfant à l'égard des couleurs tout en renforçant son habileté à les reconnaître. Procurez-vous des morceaux de papier ayant les mêmes couleurs que les autos et les camions-jouets de votre petit. Dites à voix haute la couleur du papier lorsque vous le déposez sur le plancher. Garez une auto de couleur identique sur chacun des morceaux de papier (par exemple, une auto rouge sur du papier rouge, un camion jaune sur du papier jaune), puis mélangez-les et demandez à votre enfant de « conduire » les véhicules jusqu'à leur espace de stationnement respectif en fonction de leur couleur.

**TROUVER L'ESPACE DE STATIONNEMENT CORRESPONDANT** aide votre enfant à identifier les caractéristiques communes de deux objets différents.

SI VOTRE ENFANT AIME CETTE ACTIVITÉ, essayez aussi *Trier selon les formes*, en page 289. ▶

# QUE DE GRIMACES !

30 MOIS
2½
ET PLUS

## EXPRESSION FACIALE DES SENTIMENTS

**V**OTRE TOUT-PETIT commence tout juste à comprendre le concept des émotions, c'est-à-dire qu'il lui arrive à certains moments de se sentir heureux et à d'autres d'être fâché ou triste. Des marionnettes confectionnées avec des cuillères en bois l'aideront à identifier et à exprimer ses sentiments de diverses façons.

Dessinez un visage heureux, un visage triste et un autre en colère sur trois cuillères en bois. Vous pouvez également les vêtir avec du papier de bricolage: ajoutez des cheveux, une moustache ou une boucle. Animez les cuillères et faites-leur exprimer leurs émotions à votre enfant ou entre elles. La cuillère souriante pourrait dire: «je suis content, je m'en vais au jardin zoologique!» et le visage colérique répondrait ainsi: «Non, je ne veux pas porter mon manteau!». Encouragez votre enfant à exprimer ses émotions lui aussi.

### HABILETÉS

**Voilà quelques mois à peine,** *votre enfant ne connaissait qu'une façon d'exprimer les émotions désagréables, soit en pleurant. Il a maintenant atteint l'âge où il est capable de dire qu'il est content, triste ou fâché. Les cuillères en bois peuvent lui enseigner à tenir ce genre de conversation sur les sentiments. Avez-vous remarqué à quel point il était exigeant depuis quelques jours? Laissez la cuillère au visage souriant lui montrer comment demander poliment un verre d'eau plutôt que d'insister pour en obtenir un.*

✔ **Développement de la notion de concept**

✔ **Expression créatrice**

✔ **Développement du langage**

✔ **Habiletés sociales**

**IL EST SOUVENT PLUS FACILE**
pour les enfants de s'exprimer
par l'intermédiaire du jeu, alors
laissez votre tout-petit s'exercer
à exprimer ses sentiments
grâce aux cuillères de bois.

**281**

# PARLER AUX TOUT-PETITS

**T**OUT COMME LES ENFANTS semblent naître programmés pour apprendre le langage, les parents sont instinctivement portés à tout mettre en œuvre afin de favoriser cette habileté fondamentale. Ainsi, à l'échelle internationale, dans d'innombrables cultures, les parents parlent naturellement à leurs bébés et à leurs jeunes enfants d'une voix haute, répétitive et chantante que les linguistes ont baptisée «parenthèse». Il est universellement reconnu que cette façon de parler, simple et mélodique, accélère l'habileté d'un enfant à associer des mots avec les objets qu'ils représentent et offre la syntaxe simplifiée et la répétition dont l'enfant a besoin pour apprendre plusieurs règles de grammaire.

Les parents peuvent aussi aider de plusieurs autres façons. Comme le souligne la rubrique *Rapport de recherche*, en page 183, le simple fait de parler beaucoup à votre enfant, et ce même avant qu'il ne soit capable de répondre joue un rôle primordial dans le développement de son vocabulaire. «Dites à votre bébé et à votre tout-petit tout ce qui vous passe par la tête ou presque», recommandent le docteur Marian Diamond et Janet Hopson dans leur ouvrage «*Magic Trees of the mind*». Inondez votre enfant de langage parlé. Demandez à votre tout-petit de pointer du doigt les images d'un livre, de répéter certains mots ou d'ajouter des effets sonores afin de conserver son intérêt et de prolonger sa durée d'attention.

Il est également important de lui faire connaître de nouveaux mots dans un contexte affectif réel. Un enfant apprend plus rapidement la signification des mots «plus tard» et «maintenant» lorsqu'ils sont associés au moment où l'enfant aura sa collation ou durant la promenade au parc. Alimenter son intérêt insatiable de connaître les noms de tout ce qu'il voit dans la maison, aperçoit pendant les promenades en auto ou qu'elle remarque au marché local est essentiel pour satisfaire sa propension à identifier tout ce qu'il voit, comportement qui va en s'accentuant lorsque l'enfant approche de son deuxième anniversaire. Pour terminer, n'oubliez pas les bienfaits de l'intimité entre le parent et l'enfant. Caresser votre petit pendant que vous parlez ou lisez ajoute une dimension de tendresse et un contact physique qui semblent accélérer l'acquisition du langage.

# DES PORTE-VOIX PUISSANTS

## DU PLAISIR AVEC DES VOIX TONITRUANTES

**E**LLE PARLE MAINTENANT ASSEZ BIEN et la gamme de ses vocalisations passe souvent du murmure (lorsqu'elle raconte une histoire à son ourson en peluche) à un cri strident (lorsqu'il est temps de quitter le terrain de jeux). Vous pouvez augmenter davantage ses capacités verbales et auditives au moyen d'un porte-voix. Il suffit de rouler une grande feuille de papier épais et de lui montrer comment, en parlant à travers ce porte-voix improvisé, à l'extrémité du cône, elle pourra modifier le ton, la direction et le volume de sa voix. Parlez chacun votre tour dans le porte-voix et expérimentez en modifiant le volume de votre voix, en parlant doucement, puis en parlant fort. Ce porte-voix peut également être utilisé comme amplificateur pour les chansons et produire différents sons.

## HABILETÉS

**Les enfants explorent naturellement** *leurs sens dans le cadre du jeu, mais cette activité favorise une exploration ciblée de l'écoute et de la production de sons. Les tout-petits sont également des artistes naturels (ce qui explique les transports de joie fréquents lorsqu'ils accueillent des visiteurs). Improviser au moyen de ce dispositif leur permettra de donner libre cours à leur créativité.*

✔ **Cause et effet**

✔ **Expression créatrice**

✔ **Capacité d'écoute**

✔ **Exploration sensorielle**

ÉCOUTEZ BIEN CECI : elle adorera développer l'étendue de son registre vocal au moyen de cet amplificateur improvisé.

**283**

# JOUER AVEC DES RUBANS

## CHORÉGRAPHIE AVEC BANDEROLES VOLANTES

### HABILETÉS

**Si vous ajoutez** *des rubans à la séance de danse d'une petite fille, elle prendra davantage conscience des mouvements de ses bras et de son corps afin de faire flotter les rubans de différentes façons. Cette activité l'aidera à développer ses mouvements globaux et sa coordination. Jouer avec des anneaux de rubans favorise également l'exploration rythmique et la créativité.*

| | |
|---|---|
| Conscience de son corps | ✔ |
| Coordination | ✔ |
| Mouvement créatif | ✔ |
| Mouvements globaux | ✔ |
| Exploration du rythme | ✔ |

**E**LLE ADORE DÉJÀ danser, mais en y ajoutant un aspect magique, en l'occurrence des anneaux de rubans colorés qui s'agitent au vent, vous lui donnerez encore plus le goût de tourner et de s'amuser follement.

• Achetez une paire d'anneaux de rubans (en vente dans les boutiques de jouets) ou confectionnez les vôtres en achetant une douzaine de rubans en tissu ou découpez du tissu ou de vieilles feuilles en bandes de 30 à 64 cm de longueur. Attachez solidement une extrémité de chacun de ces rubans ou bandes de tissu autour d'anneaux de broderie de petite taille ou de bords de conserverie.

• Parlez à votre enfant des différentes couleurs de ruban et demandez-lui de vous montrer sa couleur préférée.

• Montrez-lui comment intégrer les anneaux de rubans à sa routine de danse, faites-les onduler vers le haut, puis vers le bas et agitez-les d'un côté à l'autre.

• Faites jouer de la musique de danse que vous appréciez toutes les deux et joignez-vous à votre petite pour cet exercice, alors qu'elle bouge au rythme de la musique et fait flotter et virevolter les rubans.

• Déposez les anneaux au sol et dansez autour ou faites passer les anneaux de l'avant à l'arrière pendant que vous vous déplacez l'une après l'autre, en chassé, au-delà des anneaux. Encouragez-la à improviser de nouveaux mouvements.

**LES ENFANTS ADORENT LA COULEUR,** le mouvement et l'atmosphère théâtrale des rubans ondulés qui tournent et dansent dans toute la pièce.

SI VOTRE ENFANT AIME CETTE ACTIVITÉ, essayez aussi *Écharpes volantes*, en page 236.

**285**

# SCRUTER À LA LOUPE

## VOIR LE MONDE AVEC LES YEUX D'UN INSECTE

### HABILETÉS

**Utiliser une loupe** *est un moyen formidable d'apprendre à un enfant à aimer la nature. Il s'apercevra qu'une feuille n'est pas simplement une feuille, mais qu'elle est formée d'un labyrinthe complexe de lignes croisées ou qu'un minuscule insecte a des yeux, des pattes et une bouche et que la nature est riche et complexe. En décrivant ce que votre enfant observe, vous contribuerez également à enrichir son vocabulaire.*

| | |
|---|---|
| Développement de la notion de concept | ✔ |
| Développement du langage | ✔ |
| Distinction des formes et des grandeurs | ✔ |
| Stimulation tactile | ✔ |
| Distinction visuelle | ✔ |

**S**TIMULEZ LA CURIOSITÉ DE VOTRE ENFANT à l'endroit du vaste monde et augmentez sa compréhension en lui offrant une loupe. Il s'émerveillera de voir des grains de sable se transformer en rochers multicolores et en constatant que de simples feuilles vertes sont ornées de lignes minuscules.

• Commencez votre exploration en emmenant votre enfant faire une marche à l'extérieur. Montrez-lui comment tenir la loupe pour examiner différents objets comme des feuilles, des roches, de l'herbe, des fleurs, du sable et même des insectes.

• Encouragez-le à toucher aux objets sous observation et apprenez-lui les mots appropriés pour les décrire. Parlez des concepts de grandeur (« ce caillou était tout petit jusqu'à ce que nous l'observions à la loupe.

UNE ROCHE ORDINAIRE et un cône de pin deviennent de fascinants objets aux textures diverses, lorsque votre enfant a l'occasion de les examiner de très près.

Il semble maintenant gigantesque!»). Soyez particulièrement prudent les jours ensoleillés, car les rayons solaires peuvent brûler la peau en passant à travers la loupe ou même devenir un foyer d'incendie.

• Marchez également à l'intérieur de la maison. Demandez-lui d'examiner de près une couverture, une rôtie, une plante domestique, ses animaux en peluche. Demandez-lui de décrire ce qu'il voit, en lui suggérant des mots si son vocabulaire n'est pas suffisamment élaboré.

• La loupe peut également servir à lui faire prendre conscience de son propre corps en explorant ses orteils, ses empreintes digitales et même vos yeux et votre langue.

**287**

30 MOIS ET PLUS

# COMPTER ET CHERCHER

## À LA RECHERCHE D'OBJETS SIMILAIRES

### HABILETÉS

**Trouver des objets** *renforcera l'estime de soi de votre enfant (ne les cachez pas trop bien). Compter à haute voix pendant qu'il cherche lui permettra de se familiariser avec la séquence de chiffres et un concept d'addition élémentaire. Le défi de trouver un objet qu'il a vu quelques instants auparavant l'aide à développer sa mémoire visuelle.*

| | |
|---|---|
| Concepts d'énumération | ✔ |
| Distinction visuelle | ✔ |
| Mémoire visuelle | ✔ |

SI VOTRE ENFANT AIME CETTE ACTIVITÉ, essayez aussi *S'amuser avec une lampe de poche*, en page 262.

**L**ES JEUNES ENFANTS de tous les âges adorent se lancer à la recherche d'un objet caché, qu'il s'agisse d'un hochet pour bébé, du visage de maman ou d'un biscuit dissimulé dans la poche de pantalon de papa. En demandant à un enfant de chercher plus d'un objet, vous lui permettez de s'exercer à compter tout en s'amusant. Rassemblez trois objets similaires ou plus comme des tasses, des souliers, des cuillères en bois ou des balles de couleurs. Montrez ces objets à votre enfant, puis cachez-les un peu partout dans la maison (assurez-vous de laisser une partie des objets « cachés » à découvert pour qu'il puisse les découvrir plus rapidement), puis demandez-lui de les chercher. Comptez à voix haute et applaudissez à chaque fois qu'il en trouve un. Vous pouvez cacher un plus grand nombre d'objets pour rendre le jeu un peu plus compliqué.

CHERCHER « UN OBJET ADDITIONNEL » dans le cadre de la chasse aux trésors initie l'enfant au concept des chiffres.

# UNE COLLECTION DE FEUILLES

30 MOIS
2½
ET PLUS

## TRIER PAR ORDRE DE GRANDEUR

**V**OTRE ENFANT EST TRÈS DÉTERMINÉ lorsqu'il est question d'identifier ses biens (« c'est ma cuillère ! ») et de les trier en différentes catégories (« voici mes chapeaux et voici mes souliers »). Profitez de cet intérêt pour ses objets et le triage pour commencer une collection de feuilles. Ramassez des petites, des moyennes et des grandes feuilles et collez un échantillon de chacun des formats sur les côtés de sacs en papier ou de petites boîtes. Faites une pile avec le reste de ces feuilles et demandez à votre enfant de trier les feuilles dans le sac ou la boîte approprié en fonction de la dimension de la feuille. Pendant qu'il effectue son triage, parlez-lui des feuilles, de leur provenance et de leurs couleurs. S'il vous est difficile de trouver des feuilles, découpez des formes de feuilles dans du papier de bricolage.

### HABILETÉS

**Classer les objets par catégorie** *est une activité qui présente un vif intérêt pour les jeunes enfants, car il s'agit d'une forme d'organisation et même de contrôle du monde environnant. Cette activité leur permet de se familiariser avec les concepts de grand et petit et les exerce à identifier la taille de différents objets. Parler des feuilles permet aussi à l'enfant d'apprendre les mots correspondant aux couleurs et aux dimensions et leur donne une courte leçon de sciences naturelles.*

✔ **Habileté à classer**

✔ **Développement de la notion de concept**

✔ **Développement du langage**

✔ **Distinction des grandeurs et des formes**

QU'EST-CE QUI VA OÙ ? Trier une collection de feuilles est une excellente façon d'augmenter sa compréhension des grandeurs : gros, moyen et petit.

**289**

**L'ÉPOUSSETAGE** est l'une des tâches domestiques préférées des tout-petits. Confiez-donc le soin à votre tout-petit de vous rendre cette corvée plus amusante et faites-lui savoir que son travail est très apprécié.

## RAPPORT DE RECHERCHE

**Beaucoup de parents** *sont étonnés de l'enthousiasme démontré par un jeune enfant envers des tâches quotidiennes comme le balayage du plancher ou nettoyer un comptoir avec une éponge. Voilà près d'un siècle, la physicienne et éducatrice italienne Maria Montessori vantait, entre autres notions révolutionnaires relatives à la petite enfance, les mérites des tâches significatives. Elle affirmait que ce genre d'activité favorisait le développement du sens des responsabilités et de l'estime de soi chez un enfant et lui permettait d'apporter sa contribution à la famille ou à la classe. Aujourd'hui encore, partout dans le monde, dans des milliers d'écoles où l'enseignement est basé sur les théories de Montessori, les salles de classe sont remplies d'éviers bas, de balais et de vadrouilles minuscules et d'autres articles de nettoyage, et même les plus jeunes d'âge préscolaire sont censés participer.*

**290**

# IMITATEURS EN HERBE

## IMITATIONS DU MONDE DES ADULTES

**E**LLE TRANSPORTE VOTRE SAC À MAIN et parle aux animaux domestiques de la même façon que vous. En certaines occasions, c'est charmant, mais il arrive aussi que ce soit embarrassant. Dites-vous vraiment « couche-toi ! » sur ce ton ? Faites-en une activité conjointe et profitez-en pour effectuer quelques tâches domestiques sous le couvert du jeu.

• Encouragez votre enfant à vous donner un coup de main pour balayer les feuilles, la poussière, construire un nichoir ou réparer une marche brisée. Donnez-lui de petits outils ou des outils pour adultes ne présentant aucun danger. Vous pouvez aussi la laisser accomplir ses tâches avec des outils imaginaires. Elle adorera vous donner un coup de main.

• Si vous avez un animal domestique, demandez à votre enfant de vous aider à le nourrir, à faire sa toilette, à lui faire faire de l'exercice ou à jouer avec lui. Non seulement y gagnera-t-elle de nouvelles habiletés, mais elle apprendra également à nourrir l'animal comme vous le faites.

• Le jardin est encore l'endroit idéal pour laisser votre enfant vous assister dans vos travaux. Montrez-lui comment planter des graines, puis laissez-la faire d'elle-même. Quand les premières pousses sortiront, la plantation aura été oublié depuis longtemps et vous pourrez surprendre votre jardinière en herbe en lui faisant admirer les fruits de son labeur.

• Intégrez de la musique à vos projets. C'est un excellent moyen d'agrémenter la tâche, surtout si vous sifflez (ou chantez) en travaillant.

SI VOTRE ENFANT AIME CETTE ACTIVITÉ, essayez aussi *Mimes en herbe*, en page 278.

## HABILETÉS

**Les enfants apprennent** *en observant les autres, particulièrement leurs parents. Cette formidable activité interactive est un excellent moyen de montrer à votre enfant à effectuer des tâches quotidiennes (même si elle n'est pas prête pour de gros travaux). Elle augmente son estime de soi en faisant semblant d'accomplir la même chose que papa et maman. L'imitation de votre voix et de vos gestes développe les capacités visuelles et auditives de votre enfant et si vous y ajoutez de la musique, elle en explorera les rythmes.*

| ✔ | **Coordination** |
|---|---|
| ✔ | **Mouvements globaux** |
| ✔ | **Capacité d'écoute** |
| ✔ | **Jeu de rôles** |
| ✔ | **Habiletés sociales** |

**291**

# GLOSSAIRE

## CAPACITÉ D'ÉCOUTE

La capacité de discerner des sons divers, y compris la musique, le rythme, le ton et le langage parlé.

## CAUSE A EFFET

L'influence d'une action sur une autre. Une expérience de cause à effet aide un enfant à se familiariser avec les résultats de ses actions (lorsque le camion-jouet est lancé du haut de la chaise haute, il tombe par terre).

## COGNITION

Les capacités mentales ou intellectuelles, y compris reconnaître, classer et comparer des objets; se souvenir des activités quotidiennes, des gens et de l'emplacement des objets; émettre des jugements et résoudre des problèmes.

## CONCEPT DE SOI

La compréhension d'un enfant qu'il est un être à part entière. Un enfant qui a un concept de soi développé se sent bien avec lui-même.

## CONFIANCE

La croyance et la dépendance d'un enfant à l'effet que ses parents (ou d'autres personnes) vont s'occuper de ses besoins fondamentaux.

## CONSCIENCE DU CONCEPT

La compréhension de concepts particuliers comme ouvert et fermé ou grand et petit, par l'intermédiaire du jeu, de l'exploration, du mouvement et de l'expérience.

## CONSCIENCE DU CORPS

La compréhension des sensations des membres, des articulations et des muscles et la capacité de localiser les parties du corps.

## COORDINATION

La capacité d'intégrer tous les sens pour produire une réponse mouvement libre, efficace et habile, comme frapper un ballon.

## COORDINATION BILATÉRALE

La capacité d'utiliser simultanément les deux côtés du corps, que les mouvements soient ou non symétriques. Un enfant a besoin de posséder une coordination bilatérale afin de se promener à quatre pattes, marcher, nager, attraper, grimper et sauter.

## COORDINATION ŒIL-MAIN

La capacité de diriger la position et le mouvement des mains (par exemple attraper un ballon) en réaction à une information visuelle.

## COORDINATION ŒIL-PIED

L'évaluation visuelle de la distance et de la profondeur et le traitement de cette information afin de coordonner le moment et l'endroit où placer les pieds. Ainsi, la coordination œil-pied est requise pour donner un coup de pied sur un ballon, grimper un escalier ou marcher sur une surface inégale.

## DENDRITES

Les cellules nerveuses (racines du neurone) qui transmettent l'influx nerveux à l'intérieur du cerveau. Les chercheurs croient que la stimulation mentale augmente le volume et la complexité des réseaux dendritiques, qui à leur tour augmentent la cognition d'un enfant.

## DÉVELOPPEMENT AUDITIF

La maturation du système auditif d'un enfant, essentielle au développement du langage parlé.

## DÉVELOPPEMENT COGNITIF

L'évolution de la compréhension et de la connaissance d'un enfant et le développement de ses capacités à penser, à raisonner, à mémoriser, à résoudre et à classer.

## DÉVELOPPEMENT DU LANGAGE

Le processus complexe d'acquisition des habiletés langagières, y compris la compréhension de la parole, la production de sons, le langage parlé et éventuellement l'apprentissage de la lecture et de l'écriture.

## DÉVELOPPEMENT SOCIAL

La compréhension croissante d'un bébé, de ses interactions avec les gens et de son influence sur son environnement.

### DÉVELOPPEMENT VISUEL

La maturation des yeux et de la vue d'un enfant.

### DISTINCTION DES GRANDEURS ET DES FORMES

La capacité d'identifier des objets de différentes grandeurs et les relations entre eux, comme «le gros chien», «le petit chaton» et «la boîte carrée».

### DISTINCTION TACTILE

La capacité de déterminer les différences dans la forme ou la texture au moyen du toucher. Être capable de différencier des textures aide les enfants à explorer et à comprendre leur environnement et à reconnaître des objets («j'ai une plume douce et une pierre froide dans ma poche»).

### DISTINCTION VISUELLE

La capacité de se concentrer et de distinguer des objets dans un champ visuel donné. Un jeune enfant se sert de sa capacité de distinction visuelle pour trouver un oiseau dans une image ou pour localiser un de ses parents dans une foule.

### ÉQUILIBRE

La capacité d'adopter et de maintenir des positions corporelles contre la force gravitationnelle. Le sens de l'équilibre est essentiel pour apprendre à s'asseoir, se tenir debout, marcher, courir, sauter, patiner et conduire une bicyclette.

### EXPLORATION DU RYTHME

Le fait d'explorer les rythmes et la musique à travers le mouvement.

### EXPLORATION SENSORIELLE

L'utilisation des sens: l'ouïe, la vue, l'odorat, le goût et le toucher dans l'apprentissage du vaste monde.

### EXPRESSION CRÉATRICE

Utilisation de la voix, du mouvement ou de l'art (comme la peinture ou le dessin) pour transmettre des émotions et des idées.

### FORCE DU BAS DU CORPS

Le développement des muscles des jambes et du tronc inférieur.

Ce développement est essentiel pour ramper, se promener à quatre pattes, marcher et courir.

### FORCE DU HAUT DU CORPS

Le développement des muscles du cou, des épaules, des bras et du tronc supérieur. Ce développement est essentiel pour se déplacer à quatre pattes, se redresser et transporter des objets lourds.

### HABILETÉ À COMPTER

La capacité d'énumérer des chiffres dans l'ordre exact et de reconnaître la correspondance un pour un.

### HABILETÉ À CLASSER

La capacité de regrouper des objets selon une caractéristique commune comme la grandeur, la forme ou la couleur.

### HABILETÉS MOTRICES FINES

Le contrôle des petits muscles, particulièrement ceux des mains, pour effectuer les petits mouvements comme cueillir un raisin, couper avec des ciseaux, écrire et attacher des boutons-pression et des lacets.

### HABILETÉS SOCIALES

Apprendre à interagir de façon appropriée avec les autres, y compris le partage et l'alternance, ainsi que la reconnaissance des émotions d'autres personnes.

### IMAGINATION

La capacité de produire des images mentales permettant d'évoquer des objets ou des personnes non présentes. L'imagination comprend le fait de créer de nouvelles idées par l'association d'expériences du passé. Elle implique également la pensée abstraite et permet à un enfant de jouer différents rôles, de prévoir les conséquences de son comportement et de créer de nouveaux scénarios.

### JEU DE RÔLE

Utilisation de l'imagination pour faire semblant d'être quelqu'un ou quelque chose d'autre. Le jeu de rôle aide l'enfant à explorer ses sentiments.

# GLOSSAIRE

**LOCALISATION VISUELLE**

La capacité de suivre le déplacement d'un objet en bougeant les yeux et en pivotant la tête.

**MÉMOIRE VISUELLE**

La capacité de se souvenir d'objets, de visages et d'images. La mémoire visuelle permet à un enfant de se rappeler d'une série d'objets ou d'images et représente un élément clé dans l'apprentissage de la lecture.

**MOUVEMENT CRÉATIF**

Utilisation du mouvement corporel pour transmettre des émotions et des idées.

**MOUVEMENTS GLOBAUX**

Le contrôle des grands muscles comme ceux des bras et des jambes. Les mouvements globaux comprennent la marche, la course et l'escalade.

**NEURONES**

Longues cellules nerveuses qui transmettent l'influx nerveux dans tout le corps. Différents types de cellules nerveuses nous permettent de bouger notre corps, de penser, d'utiliser nos sens et de ressentir des émotions.

**PENSÉE ABSTRAITE**

La capacité d'imaginer et de discuter avec des gens, des idées et des objets lorsqu'ils ne sont pas présents physiquement. Faire semblant, la notion du temps, retrouver un objet perdu et planifier une visite chez un ami exigent un certain degré de pensée abstraite.

**PERMANENCE DES OBJETS**

Le concept qu'un objet qui n'est plus visible continue d'exister.

**RAISONNEMENT LOGIQUE**

La capacité de prendre des décisions ou d'agir en fonction d'une suite d'événements ou de caractéristiques physiques. Trier, emboîter et empiler des objets sont des actions dépendant du raisonnement logique, comme la compréhension d'un jeune enfant qu'il a besoin d'amener une chaise jusqu'au bureau de son père afin d'atteindre l'ordinateur.

**RECONNAISSANCE DES FORMES**

La capacité d'identifier des formes particulières comme des cercles et des triangles. La reconnaissance des formes aide les enfants à apprendre à lire et à écrire.

**RÉFLEXES**

Réactions automatiques aux stimuli et aux événements (comme lever votre main pour éviter d'être frappé par une balle).

**RELATION SPATIALE**

Savoir où se trouve son propre corps par rapport à d'autres personnes et objets. Un enfant utilise la relation spatiale pour se promener sous un lit, pour franchir les entrées de portes et se déplacer généralement dans l'espace.

**RÉSOLUTION DE PROBLÈME**

La capacité de trouver une solution à un problème mental ou physique. Un tout-petit solutionne un problème lorsqu'il trouve comment visser le couvercle d'un bocal ou parvient à saisir sa tasse sans laisser tomber son animal en peluche.

**SAISIR ET RELÂCHER**

La capacité d'atteindre intentionnellement et de récupérer un objet et de le relâcher éventuellement de façon intentionnelle.

**STIMULATION TACTILE**

L'entrée aux récepteurs qui réagissent à la pression, à la température, à la douleur et aux mouvements des poils sur la peau. La stimulation tactile permet à un enfant de se sentir à l'aise dans de nouvelles expériences comme les premiers aliments et un toucher inattendu.

**SYNAPSES**

Minuscules ouvertures entre les neurones à travers lesquelles les impulsions électriques se branchent, permettant aux cellules nerveuses de communiquer entre elles.

# INDEX DES HABILITÉS

# INDEX DES HABILITÉS

# INDEX DES HABILITÉS

**298**

# INDEX

**300**

**301**

# REMERCIEMENTS

**NOUS TENONS À REMERCIER PARTICULIÈREMENT** tous les bébés, les parents et les grands-parents dont les photos apparaissent dans ce livre.

Abby Newbold
Abigail Peach
Ajani Wright
Alex Mellin
Alexa Grau
Alicia et Devon Mandell
Alisa et David Tomlinson
Aliyah Ross
Allison Zanolli
Amy et Marissa Wright
Ann Marie Ramirez et
  Damien Splan
Annalisa et
  John « Jack » VanAken
Annamaria et
  Sean Mireles Boulton
Annette, Katie et
  Connor Hagan
Arthur et Reed Haubenstock
Ashley Bryant
Ashley et Alyssa Hightower
Ashley Kang
Beth et Alison Mason
Betsy et Megumi Nakamura
Blake Rotter
Bolaji, Kyle, et Miles Davis
Brisa et Diva Stevens
Bronwyn et Griffon Posynick
Brynn et Riley Breuner
Caecilia Kim et
  Addison Brenneman
Cameron et Bix Hirigoyen

Candace Groskreutz,
  Matthew et Clare Colt
Carly Olson
Carrie Green-Zinn et
  Zaria Zinn
Catherine et Lizzie Boyle
Catherine Wood
Chantál et Kalle Myllymäki
Chizzie et Patrick Brown
Christian Chubbs
Christina Fallone
Christine et Matthew Salah
Colleen et Maxwell Smith
Daisy et Karinna Wong
Dan et Martin Krause
Dana et Nicholas Bisconti
Dana et Robbie Bisconti
Danielle Bromley et
  Tyler Primas
Danny et Yasmine Hamady
Darien et Nicholas Lum
David et Giselle Kaneda
David Johnson
David Sparks
Debbie et Karly Baker
Denise et Adam Stenberg
Denise, Chloe, et Ian Kidder
Drew Harris
Dylan Thompson
Edgar et Melanie Estonina
Elaine Doucet et
  Benjamin Martinez
Elana Kalish

Elizabeth et Hayden Payne
Eloisa Tejero et Isabella Shin
Emma Wong
Eric Anderson
Esther Aliah Karpilow
  et Jack Fukushima
Gabriel Wanderley
Galen Gold
Gilda et Megan Kan
Greg, Denise, et Aiden Ausley
Haley Shipway
Henrietta et Katie Plessas
Isabella Kearney
Isabelle Jubilee Kremer
Jackie et Jaylyn Stemple
Jackson Breuner-Brooks
Jackson Brooks
Jade et Jordan Greene
James et Jayson Summers
Jamila Coleman
Jane et Lauren Davis
Jane et Robert Davis
Jeff, Jennifer, Sydney, et
  Gunner Kinsey
Jenifer Warren et Grace Bailey
Jennifer, Jim, et
  Abigail McManus
Jill et Nicole Zanolli
Jim et Kira Pusch
Jim Vettel et Peyton Raab
JoAnne Skinner Stott et
  Sonja Stott
John et Jessica Davis

José et Anna Arcellana
Joseph Shin
Julia Stark
Justice Domingo
Justin Hull
Justin Miloslavich
Kailah Chavis
Kali Roberts
Karen Zimmerman et
  Jarred Edgerly
Katherine et Parker Cobbs
Kathi et Lauren Torres
Kathleen et Meredith Whalen
Kathryn Siegler
Keeson Davis
Kelly, Mark, et Rebecca Cole
Kevin et Sofia Colosimo
Kim et Katherine Daifotis
Kim et Miles Martinez
Kimberly et Jacob Dreyer
Kimberly Minasian et
  Isabelle Schulenburg
Kristen, Kaitlin Fenn et
  Susan Carlson
Kristen Gilbert et
  Phenix Dewhurst
Laurasia Holzman-Smith
Lauren Dunlap
Leigh et Kai Sata
Leticia et Mikailah Bassard
Lila et April Torres
Lily Marcheschi
Lisa et Summer Atwood

Lisa et Zachary Mayor
Lisa Zuniga et Maria Carlsen
Lori et Karl Strand
Lori Pettegrew et Andrew Pike
Lori, Mark, et Zayle Rudiger
Lou, Terri, et Lou Molinaro
Lynne Jowett et Eloise Shaw
Madeleine Barnum
Madeleine Myall
Madison Carbone
Mahsati et Kiana Tsao
Maiya Barsky
Margaret et Lauren Dunlap
Margy Hutchinson et
    Isaiah Hammer
Mark et Samantha Leeper
Mary et Simon Lindsay
Mary, Jeff, et
    Amanda Rose Morelli
Masooda et Sabrina Faizi
Maya et Jakob Michon
Meredith et Sam McClintock
Michelle et Tatum Tai
Michelle Sinclair et
    Nicolas Amerkhanian
Mikayla Mooney
Miles Reavis
Millie Cervantes et
    Norma Foreman
Molly et Jamie Wendt
Nathaniel McCarthy
Nicole et Marlo Smith
Nikolaus Moore
Olivier et Raphael Laude

Patricia et Nathan Gilmore
Patty et Shawn Weichel
Paula Venables
Peg Mallery et Elliot Dean
Pernille et
    Sebastian Wilkenschildt
Preeti et Shama Zalavadia
Quincy Stivers
Quinn Folks
Renée Rylander et
    Ryan Ditmanson
Rico et Deena Tolefree
Robin et Jessica Alvarado
Rochelle Jackson
Ryan Jahabli-Danekas
Ryan McCarty
Sandi, Kimberly, et
    Jacquelyn Svoboda
Santiago Ponce
Sara Wong Dean
Sarah Miller et Elizabeth Schai
Sebastian et Julian von Nagel
Shannon et Clayton Fritschi
Shanti Rachlis
Sharon et Annabel Gonzalez
Sonya Kosty-Bolt et
    Owen Bolt
Stacy, Sydney, et
    Sophie Dunne
Stephanie Joe, Alexander et
    Isabelle Weiskopf
Sue, Katie, et
    Christine Partington

Susan McKeever et
    Sophia Rosney
Tami et Averie Clifton
Terri et Jacob Giamartino
Terry, Kim, et
    Hunter Patterson
Theresa et Gabriel Moran
Thomas Keller
Tiffany et Simon Eng
Tina et Anna Wood

Tom, Genevieve, et
    Graham Morgan
Tyler et Ashlynn Adams
Walter, Ester, et Whitney Hale
Wayne et Thomas Riley
Wendi et Joshua Gilbert
Whitney Boswell

*Le miroir de la page 184 nous a été gracieusement prêté par Mudpie, de San Francisco. Crayola et les motifs en serpentine sont des marques déposées de Binney & Smith et ont été utilisées avec leur permission.*

## À PROPOS DE GYMBOREE

Depuis un quart de siècle, Gymboree aide les parents et les enfants à découvrir les plaisirs et les bienfaits du jeu. Basés sur des principes d'éducation de la petite enfance et encadrés par des enseignants, les Programmes de jeu et de musique Gymboree mettent l'accent sur les bienfaits du jeu dans un environnement enrichissant et non compétitif avec de l'équipement coloré et sécuritaire. Gymboree a contribué à sensibiliser la communauté internationale à l'importance du jeu et distribue ses Programmes de jeux et de musique interactifs pour parents et enfants dans plus de 16 pays.

## AUTEURES

**Dr. Wendy S. Masi** est une psychologue, spécialisée dans le développement de la petite enfance. Elle a conçu et mis en œuvre des programmes pour le préscolaire, les familles avec de jeunes enfants et les professionnels travaillant auprès de la petite enfance pendant plus de 20 ans. Le Dr. Masi est directrice du Family Center de la Nova Southeastearn University, en Floride, et est mère de quatre enfants.

**Dr. Roni Cohen Leiderman** est une psychologue, spécialisée dans le développement émotionnel, la discipline positive et le jeu. Elle a travaillé avec de jeunes enfants, des familles et des professionnels pendant plus de 25 ans et elle a deux enfants dont elle très fière. Le docteur Leiderman est adjointe à la directrice du Family Center de la Nova Southeastern University, en Floride.